[英] 罗兰 · 布鲁克　著
李娟　译

马背上的女孩 ❷

斯巴达的幸福

天津教育出版社
TIANJIN EDUCATION PRESS

图书在版编目（CIP）数据

斯巴达的幸福 / （英）布鲁克著；李娟译. 一天津：天津教育出版社，2012.4
（马背上的女孩）
ISBN 978-7-5309-6683-9

Ⅰ. ①斯… Ⅱ. ①布… ②李… Ⅲ. ①长篇小说一英国一现代 Ⅳ. ①I561.45

中国版本图书馆CIP数据核字（2012）第041552号

版权合同登记号：图字02—2012—50

斯巴达的幸福

出 版 人	胡振泰
作　　者	［英］罗兰·布鲁克
译　　者	李　娟
监　　制	李　娟 陈禺舟 苗　洪
责任编辑	赵建荣
特约编辑	田　静
版式设计	蒿薇薇
出版发行	天津教育出版社 天津市和平区西康路35号　邮政编码　300051 http://www.tjeph.com.cn
经　　销	全国新华书店
印　　刷	北京温林源印刷有限公司
版　　次	2012年4月第1版
印　　次	2012年4月第1次印刷
规　　格	32开（750×1120毫米）
字　　数	100千字
印　　张	7.25
书　　号	ISBN 978-7-5309-6683-9
定　　价	19.80元

前情提要

坐落于弗吉尼亚群山的赫特兰德马场是治愈马的圣地。人们把马送到这里来治疗，抚平昔日伤痛。

在这里，居住着15岁的小姑娘艾米还有她的妈妈和外公。他们倾听马儿们的心声，与马交流。但是在一个暴风雨之夜，为了营救被抛弃的种马斯巴达，艾米和妈妈不幸遭遇了车祸，妈妈离开了他们，斯巴达的身心也遭受了严重的创伤。艾米从昏迷中醒来后一直沉溺在悲痛中不能自拔。艾米的姐姐——卢放弃了工作，回到马场帮忙，她以最实际的想法为马场做着全新打算。可艾米不愿接受卢对马场的改变，与姐姐争吵不休。艾米只能与她深爱的马儿待在一起，暂时依靠工作来面对没有妈妈的未来。

人物介绍

艾米·弗莱明	本书的主人公，一个十五岁的少女。
卢·弗莱明	艾米的姐姐。
玛丽恩·弗莱明	艾米和卢的妈妈，赫特兰德马场的主人。
杰克·巴特利特	艾米和卢的外公。
泰·鲍德温	赫特兰德马场十七岁的小伙计。
苏拉娅·马丁	艾米关系最好的闺蜜。
马特·特里温	艾米的男同学。
斯科特·特里温	当地的一名兽医，马特的哥哥。
卡尔·安德森	卢在纽约交的男朋友。
艾什莉·格兰特	艾米的同学，一个有天赋的骑手。
瓦尔·格兰特	艾什莉·格兰特的妈妈，绿石南马场的主人。
拉里·鲍斯韦尔	斯巴达原来的主人。
汉娜·鲍斯韦尔	拉里·鲍斯韦尔的孙女。
雪莱·鲍斯韦尔	拉里·鲍斯韦尔的妻子，汉娜·鲍斯韦尔的奶奶。
梅勒妮·萨奇韦尔	一个十几岁的小姑娘，为了挑选一匹马来到了赫特兰德马场。
马克斯·萨奇韦尔	梅勒妮的爸爸。
南希·萨奇韦尔	梅勒妮的妈妈，马克斯·萨奇韦尔的妻子。

马匹介绍

斯巴达　艾米和妈妈在暴风雨之夜营救回来的那匹马，身体和心灵都遭受了巨大的创伤。

珀加索斯　艾米爸爸以前的参赛马。

萨加富　一匹在赫特兰德马场得到精心照料，恢复了健康的小马驹。

桑旦斯　一匹鹿皮小马驹，脾气暴躁，但深得艾米喜爱。

茉莉　一匹俊俏的黑马驹，性格极好，人见人爱。

葡萄干　被送到赫特兰德马场来接受治疗的一匹马。

大礼帽　被送到赫特兰德马场来接受治疗的一匹马。

派博　梅勒妮的小马驹。

科珀　赫特兰德马场的一匹马，被梅勒妮挑中买走。

辛巴德　汉娜·鲍斯韦尔的小马驹。

第一章

事故发生后，艾米反复在同一个梦中濒死挣扎。

艾米看到妈妈拉开了小汽车的驾驶座车门，她试图尖叫，但却发不出声。她想制止她，但却一动也不能动。她只能眼巴巴地望着妈妈转动钥匙，发动了引擎，整个人都吓傻了。

然后梦境改变了。

艾米和妈妈都坐在小汽车里。那匹枣红色的种马在她们身后的拖车里惊慌乱蹬，把拖车撞得东摇西晃。

2

艾米拼命想醒过来，但却更深地卷入了梦中。

玛丽恩双手紧握方向盘。“我这是疯了，”她喃喃道，碧蓝的双眼逼视着艾米，“我就不该听你的，艾米。”

“妈妈！”艾米绝望地啜泣，“停下，求你了，快停下！”

但玛丽恩不听她的。

一道闪电划破了暗沉的天幕，拖车里的马蹄声淹没在头顶上的一声惊雷中。

路前方，艾米看到树木在暴风雨中身不由己，被肆虐得东摇西摆，艾米开始尖叫。树枝聚拢在车顶，在上面刮擦，发出阵阵“砰砰”巨响。一声惊天动地的响雷炸开了，听起来像是头顶的大炮轰然作响，紧接着，绷紧的树木发出长长一声无力的“吱呀”。她们正前方，一棵树开始慢慢朝路上倒去……

“不！”艾米尖叫道，“不要！”

3

“艾米！艾米！快醒醒！”

艾米感到有人在摇自己的肩膀。她睁开眼，发现自己正躺在一张硬木板床上。外公正探身看着她，忧虑地紧锁眉头。

“外公。”艾米困惑地坐起身来。

艾米闻到了一股熟悉的淡淡香水味。挂在墙上的照片中的马俯瞰着她。她在妈妈的房间里。妈妈的一件外套还放在她出事那天放的一张椅子上。梳妆台上蒙了一层薄薄的灰尘，梳子里卡着几根金发。六周过去了，自从玛丽恩·弗莱明在那个暴风雨之夜死去后，房间里的一切都没有改变。

看到所有这些熟悉的东西，艾米胃里一阵翻江倒海。“我怎么到这里来了？”

杰克·巴特利特看到她一脸震惊。“没事的，宝贝儿。”他迅速说，“你肯定是梦游了。”

“是个可怕的梦。”艾米疲惫地说，她站了起来。房间里的空气安宁静谧。她四处张望着，长长的棕色头发被汗水濡湿了。

“来吧，已经过去了，”外公安慰她说，“我陪你回房间去。”他的手臂环上了她的肩膀。

这时，妈妈卧室的门开了。艾米的姐姐卢站在门口。“发生什么事了？”卢问，顶着一头在被窝里压得乱蓬蓬的金色短发。“我听到有人尖叫。”

“已经没事了，”杰克·巴特利特一边扶着艾米朝门口走去，一边飞快地说，“艾米做了个噩梦，梦游了。”

“噢，艾米。”卢说着迅速走到艾米身边。

“我没事。”艾米说，她不让外公搀扶，从卢身边经过，朝门口走去。她只想赶紧逃离这个房间。妈妈再也不能回来了，这对她来说实在太难承受。

床上的被褥冷冰冰的。她把被子拉到自己身上。外公和卢走到门口，她看到外公低声对卢说着什么。

卢点了点头。

“明天见。”她和艾米柔声道别后便离开了。

外公走过来，坐在艾米的床沿上。

5

“我没事，外公，”艾米说，“您也回去睡吧。”

“我在这里陪你一会儿。”外公说。

艾米累极了，没有力气争辩。她倒在枕头上。眼睛一合上，那个噩梦就在她脑海里闪现。她不停地眨眼。

“噢，外公。”她睁开眼，带着哭腔喊道。

“别担心，我在这里。”外公轻声说，他摸了摸她的头发。“睡吧，宝贝儿。”

当艾米第二天早上醒来时，外公已经走了。像往常一样，她多么希望过去六周发生的不幸从来没有发生过。这也是她脑海里每天闪现的第一个念头。但她看到淡淡的晨曦从窗帘渗透进来，她知道，现实铁定无疑——妈妈已经走了，是她害死了妈妈。

艾米坐起身，用双臂抱紧膝盖。如果不是她那么着急想去把斯巴达——那匹枣红色的种马，从它被遗弃的外屋救出来，那妈妈绝不会顶着暴风雨出门，事故也就绝不会发生了。是她央求妈妈去的。一股自我厌弃的内疚攥紧了她的心。

爬下床，艾米穿上一条牛仔裤，走过去拉开了窗帘。透过窗户，她能看到赫特兰德马场的前排马厩，露天小围场里挤满了马儿，它们在黎明的晨曦中悠闲地啃食青草、打盹儿。跨过地板上一堆乱七八糟的衣服和杂志，艾米匆匆走下楼。她要开始去院子里干杂活儿了。她不想去想妈妈——就像她不想去想明天会怎样一样。

那天下午晚些时候，艾米站在前排的一间马厩里，往厚实的新床上抖麦秸。温暖的阳光透过半截门照进来，灰尘漂浮着，轻舞飞扬。她想起了斯巴达。明天它就会站在她现在所在的地方。

那一刻她几乎希望自己病倒。

生活是多么不公平啊。

“你干完了吗？”泰——赫特兰德马场十七岁的帮手从门外看进来。他肯定从她的神情中看出了她心事重重，关切地皱起了眉头。

7

“艾米，你没事吧？”他走进来问道。

艾米点了点头，不出声，怕自己掩饰不住悲伤。

“嘿，”泰柔声说，四下打量马厩。“你是在想斯巴达吗？”

艾米又点了点头。

“没事的，”他说，满怀同情地拍了拍她的胳膊，“你就等着瞧好了。”

院子那头传来农舍门开的声音。“艾米！泰！”杰克·巴特利特喊道，“该走了。”

艾米朝门走去，“来了！”

“我还得去换身衣服，”泰说，“一分钟就好。”走出马厩，他匆匆往院子里走去。

艾米关上半截门后最后一次环视马厩。明天那匹枣红色的种马就会住在这里了。它会和赫特兰德马场里的其他马儿一样，往门外张望，等待喂食、梳理和照顾。艾米一个激灵。她这是在和谁开玩笑？对她来说，斯巴达绝不只是一匹普通的马。

8

她慢慢走到粉刷一新的农舍，从后门进去了。外公和卢在厨房里静静地交谈着。他们身穿黑衣。餐桌上摆放着一大束百合花，上面系着黑丝带，散发出馥郁的香甜气息。

“我们必须赶紧出发，”看到艾米，杰克·巴特利特催促道，“我们说好五点半和斯科特还有马特会合的。”

艾米点了点头。

“我换下工作服就行了。”她说着朝楼梯口走去。

走到卧室，艾米抓起一把梳子，飞快地梳了梳头，把头发扎成一束，用发夹别在头顶。她把牛仔裤和T恤扔做一团，穿上一条无袖长裙，又对着梳妆镜检查了一下自己的仪容，那双灰色眼睛在苍白的脸上显得很大。

她的视线落在镜子边的相框上。她拿起来。那是她最喜欢的照片之一。妈妈站在牧场的大门边，抚摸着珀加索斯，朗声大笑。照片是在事故发生前几周拍的。艾米感到胸口像被捅了一刀似的锥心刺骨地痛。

“艾米！”她听到卢的呼唤从楼梯上传来。

9

放下照片，艾米从书桌上拿起一张纸，飞快地折好，放进了口袋里。

卢站在楼梯下面，一贯沉着的脸上紧张不已。

“准备好了吗？”卢问，声音短促，这是她在英国上寄宿学校养成的。

艾米抚弄着口袋里的纸。“嗯，准备好了。”

她们往厨房走去。

泰站在门边。他穿了一件干净的白衬衣和一条黑裤子，黑色的长发平展地向后梳起。他着意看了艾米一眼，眼神里有一丝关切。她勉强对他挤出一丝笑意。

杰克·巴特利特打开后门。

“好，那我们出发吧。”

他们朝墓地驶去，一路上都默默无言。到达时，当地的兽医斯科特·特里温和他的弟弟马特正在停车场等候。

“嘿，这里。”艾米下车时马特悄声说。

马特和艾米上同一所学校，是很好的朋友。马特经常表现出他不只想和她做普通朋友的意思，但今天他的脸上只有友好的关切和同情。他热情地微笑道：“你好吗？”

艾米点了点头，“还行。”

穿过墓地时艾米想起了妈妈的葬礼。妈妈的墓碑那天早上就立好了，艾米想借此机会去和妈妈正式道别。葬礼在事故发生几天后已经举行过，距今已经六个星期了，当时艾米还躺在医院里，昏迷不醒。

一行人来到玛丽恩的碑石所在的阴凉角落。左边的一块碑石看起来更旧，它历经岁月风霜，受尽风雨侵蚀，但墓地显然有人精心打理过。艾米看到外公的视线落在它上面。外公走过去，轻轻抚摸着它，闭上了眼睛。

那是杰克·巴特利特亡妻的坟墓，她们的外婆在现年二十三岁的卢尚未出生前就已经去世了。

过了一会儿，外公回到了这一小群人中。他清了清喉咙。“好吧，谢谢你们今天能来。你们都知道，我们到这里来是为了和玛丽恩做最后道别的。”他的视线在每一个人身上扫过。“一个女儿，一位母亲——也是一个朋友。我们每个人对她都有特殊的回忆。她给我们带来了欢笑，帮我们拭去眼泪，她聆听我们的心声，帮助我们，爱我们。凡是人们送到赫特兰德马场来的马，她都悉心照料。玛丽恩的爱是博大的，有她这样的女儿，我感到无比自豪。”

外公说这番话时，艾米怔怔地凝视着那块淡灰色的碑石，它基底的泥土还是新鲜的，略有点湿，墓地上摆满了鲜花。外公的话如流水般从她身上冲刷而过，却没有留下丝毫印迹。她眼睛干涩地凝视着碑石上的题词，一遍又一遍地念着妈妈的名字，她出生的年份和死去的年份。

题词是她、卢和外公一起选的。上面写着：

她的精神将永远活在赫特兰德马场。

“艾米，”外公柔声说，打断了她的思绪，“你能为大家朗读一下你为纪念妈妈选的那首诗吗？”

艾米走上前，跪倒在地，将那束百合放在碑石边。重又站回到卢身边时，卢拍了拍她的胳膊，眼泪在眼眶里打转。艾米从口袋里拿出那张折好的纸，打开。

“妈妈爱这首诗，”她静静地说，“她把它贴在卧室的镜子旁边。这首诗是她第一匹马死时爸爸送给她的。是里奥·马克斯的《我所拥有的生活》。”她低头看着揉得皱巴巴的纸开始念道：

我所拥有的生活是我所有的一切
而我所拥有的生活是属于你的

艾米读的时候注意到卢强自镇定，外公一只手拂过脸庞。艾米等待自己的泪水肆意流淌，但没有。她继续念，声音清晰，心神麻木。

我对于我所拥有的生活的热爱
也是属于你的，且只属于你
我终将长眠，从此安息

但死亡不过是一个短暂的停顿

在那茂盛的绿草下，我永恒的安宁

也是属于你的，且只属于你

一声清晰的抽噎声从卢那里传来。艾米心中升起一股绝望。她为什么都没有感觉？她为什么都没有眼泪？读完诗，她慢慢走到坟前。“再见了，妈妈。”她小声说，抚摸着碑石。“赫特兰德马场将会继续，我向你保证。”

外公走到她身后，一只手搭在她的肩头。她转过身来，他吻了吻她的额头。他们沉默地站了片刻。

当这一小群人慢慢往回向停车场走去时，每个人都沉浸在自己的思绪和回忆里，泰走在艾米身侧。“你没事吧？”他问，探询的目光落在她脸上。

艾米知道泰肯定奇怪她居然没有掉眼泪，她不是那种喜欢克制自己感情的人。然而这不是她有意为之。她想哭，她真的想，但不知为何，她哭不出来。“我很好，”她回答道，朝他感激地一笑，“谢谢你跟我们一起来。”

15

“我一定要来的。”泰摇了摇头，眼神幽暗热切。“你妈妈让我相信，我能和马一起实现毕生梦想。我辍学是因为我知道能从她身上学到更多更重要的东西，那是学校永远不能教给我的……”他声音里有困惑和失落，“我简直不能相信她就这么走了。”

艾米碰了碰泰的手臂。泰迅速地握住了她的手。

“艾米。”艾米吓了一跳，转身一看，是斯科特朝她走来。“那首诗太精彩了，”他说，低头看着她。“我明白为什么它对玛丽恩那么重要。”

“我知道，”艾米说。他正视着她的脸，她赶紧岔开了话题，不让他发现自己没有掉泪。“那个……斯巴达怎么样了？”这个名字一从嘴里冒出来，她的胃就立即缩紧了。斯巴达——斯科特给它取的名字。

“它很不安，”斯科特回答道，“它的身体在恢复，但精神上的创伤依旧。它很紧张，怕人。那次事故给它造成了很坏的影响。”

愧疚席卷了她全身。

斯科特用鼓励的眼神看着她。“你能把它治好的，艾米。”他说，“如果说有人能，那个人一定是你。”

第二天下午三点，艾米等着斯科特把斯巴达送过来。卢和外公一起出去买东西了，今天泰放假，所以马特过来陪她。

马特踢着一块石头。“斯科特很快就会到，”他说着扫了一眼手表，“他说三点前会到。”

“嗯。”艾米回答道。一想到又将见到斯巴达她就心跳加速。她很高兴马特在这里。马特不是特别喜欢马，也完全不了解她的感受，但有马特陪伴让她感觉好多了。

“最近有苏拉娅的消息吗？”马特问。

“她上周给我写信了。”艾米说。苏拉娅·马丁是艾米最要好的朋友。她去参加一个骑马夏令营了，不能经常跟她八卦让艾米感到度日如年。“她看上去挺开心的。”

“她什么时候回来？”

“三周后，”艾米回答道，“我都等不及了。”她紧张地瞟了一眼手表。斯科特到哪儿了？他被什么耽搁了？他这时候应该到了。

她走到关在最后一间马厩的大灰马前，抚摸着它的鼻子。大灰马欢喜地用鼻口蹭她。淡淡的笑意在艾米脸上若隐若现。无论她感受如何，珀加索斯似乎总能理解。它是爸爸的马——世界上最棒的障碍赛选手。但十二年前发生在伦敦的一起事故让爸爸受了重伤，从此再不能骑马，珀加索斯的身体和心理也遭到重创。

艾米亲吻着珀加索斯柔软的鼻口。正是在照顾珀加索斯恢复健康的那段日子，妈妈学会了所有那些非传统疗法，也正是这段经历促使她在和爸爸蒂姆·弗莱明的婚姻破裂之后创办了赫特兰德马场，这是一个马的避难所。

马特走到艾米身边。“过了二十分钟，”他看着表不安地说，“但愿没出什么事。”

艾米从珀加索斯身边走开时，隐约听到一辆车从车道开上来的突突声。“可能是他。”她飞快地说。

几秒钟后，斯科特那辆破旧的小汽车从拐角转过来，一辆拖车在它后面摇摇晃晃。随着它靠近，马蹄踢打金属的声音清晰可闻。马特和艾米不安地对视了一眼。

车停在了他们身边。斯科特灭掉引擎，从车里跳出来。“这趟路真不容易！”他说，紧绷着脸朝拖车看了一眼。“有一段路，我觉得斯巴达就要从后面跑出来了。它一路上都没有消停过。”

一时静默，然后只听见一声尖锐的嘶鸣，声音里充满了愤怒。艾米右边的拖车铁板墙被马蹄踢得“砰”的一声响，把她吓了一跳。

“哇！”马特惊呼道，“它真像发疯了！”

“本来就是。”斯科特看着艾米。“我们最好把它放出来。我进去抓住它，你们两个把前面的斜板搭好。”他从侧门走了进去。又有一连串的乒乓声从拖车里传来，拖车地动山摇。

艾米走过去打开斜板，一颗心在胸腔里怦怦乱跳。斯巴达随时会出来。她记得那天晚上和妈妈去接它时的模样——美丽、宁静。想想吧，它是一匹种马，当时又被锁在一个黑暗的牲口棚里，这实属难得。但它将不再是匹种马了。它刚有恢复的迹象，说好送到赫特兰德马场先来暂住一阵，给它重新安家后，斯科特就把它阉了。

“我们走吧！”斯科特喊道。

艾米和马特刚放下斜板，斯巴达就厉声嘶鸣了一声冲了过来，幸好他们及时跳开了。

“放松！放松！”斯科特喊道。

那匹马猛地一冲，叮叮当当下了斜板。它站在那里一动不动，环顾着牧野和栅栏——枣红色的皮毛被汗水濡湿了，泛着亮光，两眼喷火。

艾米站在那里，惊呆了。斯巴达变得她不认得了。她第一次见到它时，它眼中饱含的信赖和信任，如今早已荡然无存，里面只流转着愤怒和恐惧。它后半身和臀部上的一道道伤疤触目惊心。她凝视着它，愧疚再一次流遍了全身。她突然想不顾一切地转身逃掉——逃得远远的。

斯巴达嗅到了她的体味，猛地把头甩过来，愤怒地长嘶了一声，张大嘴，耳朵直竖，朝她冲过来。艾米赶紧跳

开了。

斯科特奋力拉紧缰绳把它控制住。“你没事吧？”他焦急地冲艾米喊道。

“没事。”艾米上气不接下气地回答道。

“我去开门。”马特说，他小心翼翼地一步一步从斯巴达身边走过，急急地穿过院子。

斯科特牵着斯巴达。这匹马摇着头跟在他身后小跑，视线一直盯在艾米身上，不肯挪开，但斯科特拉紧缰绳敦促它前进。

斯科特把它牵进马厩里，拴上了身后的门。“真抱歉把它送回到这里来，”他对艾米说，“我不知道它是怎么了，桀骜不驯，它还从来没有对人那样粗暴过。”

“我想也许是坐拖车受了惊吓吧，”艾米替它辩护。“这肯定让它想起了那次事故。”她走到门边朝里看。她觉察到斯巴达一看见她身子就僵硬了，突然没有任何征兆地朝门冲来，猛地张开嘴，艾米的胳膊差点儿被咬中。

“吁！”斯科特冲马喊道。斯巴达又闪回到马厩里面。

“它这是怎么了？”马特问艾米。

她两眼飞快转向斯科特。“它恨我，对不对？它知道是因为我它才出事的。”

“不是仇恨，”斯科特赶紧解释，“马是不会怀恨在心的。你知道这一点。但它把你和那次事故联系在了一起。它攻击你也许是因为害怕——害怕如果你再次靠近，会给它带来同样的灾难。”

“那艾米该怎么做，斯科特？”马特问，声音充满担忧。

“重新赢得它的信任，”斯科特回答道，他注视着艾米的眼睛，“这将是个漫长、缓慢的过程——但你之前做到过。”

“是的，”艾米突然想呐喊，“可没有妈妈我不行，对付一匹惧怕我的马我不行。”

斯科特看出了她的疑虑。“你能做到的，艾米——也许你是唯一一个能做到的人。如果斯巴达能重新相信和接纳你，那么它就能信任任何人。”

艾米艰难地吞了吞口水。她将每天见到斯巴达，面对它愤怒的眼睛，直面它的憎恨。她不知道自己能否做到。

斯科特探究地看着她。“听我说，如果你真不愿意，别担心，”他说，“我再去找其他地方看看。”

尽管斯科特竭力掩饰自己的失望，但艾米知道想要找到其他愿意帮助斯巴达的人谈何容易。她吞了吞口水。

“不，我愿意。”她说。

斯科特脸上笑容绽放。“太好了！”说着他拍了拍她的肩膀。“别担心，我知道你能做到。”

艾米瞟了一眼斯巴达的门，希望自己也能这么肯定。

第二章

他们离开斯巴达，让它安顿下来，斯科特问能否去看一眼萨加富。

“当然可以。”艾米说。萨加富是一匹经她悉心照料得以恢复健康的设得兰小马驹。

他们穿过院子，经过露天小围场时，艾米停下来拍了拍一匹正在栅栏上东张西望的鹿皮小骏马。“嗨！”她冲马儿打了声招呼，桑旦斯喷了喷鼻息算作回应，充满柔情地将脑袋往她胸口送。

“它看起来挺不错。”斯科特说。

“是啊。”艾米点了点头。她喂桑旦斯吃了几块薄荷糖。

桑旦斯脾气暴躁，喜怒无常，没有人愿意收养它，因此成了赫特兰德马场少有的几匹永久居住者之一。它对其他人都很粗野，只对艾米情有独钟，一有时间，艾米就带它去参加当地的猎马障碍赛。

“那萨加富怎么样了？”他们走进院子尽头的十二间马厩时，斯科特问。

“它好多了，”艾米说，“现在胃口也很好。”

萨加富在它的老主人贝尔夫人死后，被丢弃在马厩里整整三周没有吃东西。它刚到赫特兰德马场时伤心欲绝，拒绝进食，最终患上了支气管肺炎，病得奄奄一息。大家都以为它会死，直到一周前，它才出现了转机，开始恢复。

萨加富正站在它的干草兜旁。它低声嘶鸣了一声以示欢迎，还走过来打招呼。

“它看起来好极了，”斯科特抚摸着这匹设得兰小马驹厚密的淡黄色马鬃，“你用了什么方法？”

艾米简单讲了讲她治疗萨加富用的草药和香薰油。

“用稀释过的橙花油给它做按摩，然后在它吃的饲料里面添加大蒜、香豆籽和荨麻，”她说，“它们似乎起了作用。”

“不只是起了作用！”斯科特赞许道。他检查了萨加富的呼吸和心率，“它恢复得很快。”

“嗯，其实一直以来真正照顾它的人是卢。”艾米解释道。

“卢？”斯科特一惊，反问道。

艾米对此也很吃惊。自从她们的父亲出事，父母的婚姻随即破裂后，卢就抗拒任何和马有关的事。甚至在妈妈死后，她回到赫特兰德马场以来，她都避免和马接触。然而，这匹设得兰小马驹俘获了她的心，她被它感动了，一直在照顾它。

“她一有时间就陪它。”艾米说。

“她计划在这里待多久？”马特问。

“嗯，她已经跟公司请假说要到秋天才能回去。”艾米说。她感激地拍了拍萨加富。如果不是因为这家伙，卢已经回曼哈顿做她那份高节奏的工作去了。

“她走后你怎么办？”斯科特问。

艾米耸了耸肩。她不想考虑这个问题。到冬天她也开学了，他们只能花钱再去雇个马厩伙计，要不就减少马的数量。“也许她会改变心意。”她乐观地说。

“你认为有可能？”斯科特吃惊地问，“我觉得她是真心喜欢城市生活。”

“的确是。”艾米承认。卢非常喜欢自己那份工作，还有她的公寓和男朋友卡尔。“但她好像也喜欢这里。我不知道……也许她会留下来。”

就在这时，门外传来一辆小汽车熄火的声音。“可能是外公和卢回来了。”艾米说。

他们往院子走去。杰克·巴特利特的小旅行车停在屋外，他和卢从车里走出来。

“嗨！”艾米喊道。

“嗨，”外公应了一声，“斯巴达来了，是吗？”

“是的，在最后一间马厩里。”艾米说。

外公和卢好奇地走过去。艾米瞟了一眼正靠在后门上喝可乐的马特，随即匆匆跟上了他们。“别靠太近。”她警告道。

外公停下来。“为什么？”他探询地看着她的脸，眼里闪过一丝担忧。“它会伤人是不是？”

“不，不，当然不是，”艾米飞快地说，“它只是坐了太长时间的车，有点儿不安。”

“噢，它是匹骏马，”外公从门上望进去，评论道，“看起来像匹摩根 。”

斯科特转向艾米。“听我说，我要动身了。如果你想征求我的意见，给我电话，过几天我还会来看看。”他冲她微笑着，“祝你好运。”他转向马特，“你想搭我的顺风车吗？”

“当然好。”马特点了点头。

道别后他们朝斯科特的小车走去。马达吱吱嘎嘎发动起来，随着一股尾气喷出，那辆笨重的小汽车拉着拖车慢吞吞地开走了。

29

那天晚上，艾米坐在床上看书看到很晚。她不想入睡，怕再做噩梦。她强撑着眼皮继续看书，但夜深了，书上的字逐渐变成了蚯蚓，最后她的眼睛终于合上了。

她周围黑黢黢的。她这是在哪里？四面的木板墙向她压下来，像是在牲口棚里。大雨击打着头上的铁皮屋顶，发出闷响，外面狂风呼啸。艾米不确定自己为什么会在这个黑暗封闭的空间里，但她下意识地想要逃跑。她不安地朝门走去。突然一声惊雷，紧接着“吱呀”一声，门慢慢开了。

“妈妈！”艾米倒抽一口冷气，看到玛丽恩站在那里，头发湿湿地贴在头上，手里握着缰绳。

“放松，”玛丽恩安慰她，转身对着身后什么东西，“往后站一点儿。”她说着，一只手伸进口袋里，掏出一个小小的密封罐。

天空又出现了一条刀叉状的闪电，两人的身形都被照得通明，艾米看到自己的影子在妈妈身后游移着。突然，她意识到发生了什么——她正从斯巴达的眼睛里看到那天晚上发生的事故，正在感受它的恐惧和困惑！

妈妈朝她走来，伸出手。又一声惊雷炸裂了，有一会儿，四周一片漆黑，然后一切都变了。艾米听到身后的门飞快地关上了，发出一声金属钝响，像牢房门一样不祥的回声在空中回荡。她意识到她现在是在拖车里。她听到小汽车的马达开始发动，车移动时她能感受到拖车在颠簸。

艾米的心被阵阵恐慌揪紧了。她知道接下来会发生什么。“让我出去！”她尖叫道。她在金属墙壁上乱踢乱蹬，拖车不停地摇晃，但没有用。她被困住了。雨不停地敲打着车顶——不时传来树枝断裂的声音。一声大炮引爆般的巨响传来，令人毛骨悚然，随后一根树干折断了，尖锐的喇叭声响起，随即“砰”的一声，然后她便失去了知觉。

艾米睁开眼，打开灯。房间里异常地安静。她大口大口地吸着气，呼吸慢慢平复下来。她伸手拿过一本书，颤抖着双手翻开了。外面依然漆黑一片，但她不敢再睡。

时间一分一秒慢得像蜗牛，终于到了起床的时间。艾米在厨房见到卢，她匆匆喝了点咖啡，吃了块松饼，就和姐姐一起出门去喂马。天空万里无云，碧蓝如洗，清晨的空气清新凉爽。

“真是个好天气！”卢说。“你知道，这样的早晨常让我觉得曼哈顿很不真实，我不能想象起床去上班的日子。”

斯巴达突然把头从门上伸出来，一看到艾米就发出一声尖锐的呼哨，打破了空气的宁静。它在马厩里半抬起前腿。

卢吓得倒抽一口冷气。“它这是怎么了？”

“是我，”艾米承认，“因为那次事故，它现在怕我怕得要命。”她用一只手理着头发。“听我说，最好你去喂它，要不我们等泰来。”

“我来吧，”卢说，“没必要等泰。”

她们走到饲料室。“我不知道卡尔对这里会作何感想，”卢说着拧开了鳕鱼肝罐的盖子，艾米则开始往桶里一铲一铲加谷子。“他过几天就要来了。”

艾米只见过卡尔一次，那是她去曼哈顿探望卢的时候。他一点都不喜欢听赫特兰德马场的事，艾米对他持保留态度。

“我不能想象，”卢觉得好笑，“我从来没有和他在乡下待过。”她把饲料堆放在一起。“也许他能帮这个地方出点儿赚钱的好主意。”

“赚钱？”艾米奇怪地反问道。

“是的，”卢回答道，她显然看到了艾米脸上的怀疑。“好吧，我们得想办法多赚些钱，这一点你大概也意识到了。没有妈妈，想要劝说顾客把他们的马送到这里来很难。尼克·哈利维尔说他会给我们介绍一些生意……”

“他的确做到了。”艾米打断她。

尼克·哈利维尔是位著名的障碍赛赛马选手，他最近把他最好的一匹马送到赫特兰德马场，医治它的拖车恐惧症。这是艾米在没有妈妈的帮助下治愈的第一匹马。不到两天，这匹马就能毫无问题地进出拖车了。尼克·哈利维尔对此印象深刻，承诺要把赫特兰德马场推荐给朋友们。

已经有葡萄干和大礼帽两匹新马被送过来治疗了。

“但我们不能完全依靠他，”卢指出，“我们还得尝试其他办法来树立我们的形象。我已经有了几个好点子，今天下午我就来做计划。我知道妈妈尽了力，但她真的没有用最经济有效的方法来经营这里。我们得多盈利。”她拎起前排马厩里的木桶。“这也许要进行几项改变，但我确信我们能应付。”

艾米拎起剩余的几个桶朝后排牲口棚走去。几项改变。她咬紧嘴唇。她不想改变。她想让一切都维持妈妈死前的原貌。

泰七点半到了。他和艾米忙着做每天早上必做的杂事——把马赶出去，清扫马厩，把水桶加满。艾米忙活的时候注意到斯巴达时刻关注着自己。她不想看它，可她的眼睛却不由自主地被它吸引。她不时地朝它的马厩瞟上一眼，她看到它的眼中写着憎恨。每当她靠近它的马厩，它的耳朵都会直竖起来，朝空中怒吼。

她看到泰出了珀加索斯宽松的马厩，朝她走来。“你觉得斯巴达怎么样？”她一边抚摸着珀加索斯的脸，一边假装漫不经心地问。

泰拴上了马厩门。“你真想知道？”

艾米点了点头。

“我不喜欢它，”泰严肃地说，“你小心点，艾米。”

艾米立即替斯巴达说话，这让她自己都大吃一惊。“它本质并不坏，”她飞快地说，“你应该看看它出事之前的样子，妈妈和我去接它的时候，它是那么温顺。”

“好吧，但那是从前了。”泰摇了摇头，“你看看它的眼神。看着它的眼睛会让我怀疑它是否经受的太多了，恐怕它是治不好了。”

“它会平静下来的，”艾米不安地说，“它会好起来的。”这句话自然而然地从她嘴里溜出来，她绝望地需要说服自己。如果斯巴达不能好起来，这对她来说意味着什么？她知道自己不能接受让它安眠。她必须让它好起来。

第三章

接下来几个小时艾米忙得像陀螺，也没有心思去想斯巴达了。她给葡萄干套上马笼头和长绳，把它从牲口棚牵了出来。

葡萄干是一匹漂亮的栗色马，每当有人想骑它，它就慌张地逃跑。在其他方面——比如梳理、饲养和牵引等——这匹母马都很乖巧、顺从，艾米有信心解决它的问题。

当她牵着这匹栗色马经过户外围场往环形训练场走时，卢从院子里一路小跑过来。“你今天打算怎么训练葡萄干？”她兴致勃勃地问。

“我打算和它联合。”艾米说。联合是一种和马建立信任和理解的方式，是玛丽恩教给艾米的一个技巧。

“我能看吗？”卢问。

“当然可以。”艾米说。

她们走到环形训练场，卢倚靠在栅栏上。艾米关上她们身后的门，用手掌揉搓着葡萄干的额头，放松了长绳。她把绳子一头朝马后面抛去。葡萄干吃惊地轻跳了一下，小步跑开了。艾米动作迅速，肩膀和葡萄干保持平行，再次甩出长绳。这匹栗色马闷哼了一声，高高抬起头，慢跑起来。

艾米肩膀和葡萄干的身子平行，两眼紧盯着这匹母马，敦促它前进。跑了几圈后，她略微走到这匹马前方，挡住它的去路，让它反方向慢跑。

“瞧，”跑完几圈后她对卢说，“看到它耳朵没有？”葡萄干的内耳正指向圈内艾米的方向。“这表示它准备好了。”

她又敦促这匹母马跑了几次，耐心地等待着下一个信

号。它终于出现了。葡萄干放慢速度开始小跑、舔舌、用嘴咀嚼。这是马在表示它想和你做朋友。最后的信号终于出现了。葡萄干伸长脑袋和脖子，它的口鼻几乎要挨到地面了。

艾米飞快地转身，肩膀侧对着马儿，两眼正面凝视着葡萄干，完全忘记了卢正目不转睛地望着她。她用眼角的余光看到葡萄干慢慢停了下来。马注视着艾米，果断地走进训练场中央，朝艾米的后背走去，停在她肩膀旁，轻轻喷着鼻息。

联合的时刻到了！

艾米慢慢转身，揉搓着葡萄干的额头。“好丫头，”她喃喃说着走开了。在葡萄干看来人类都是捕食者，这点对所有马儿来说都一样。从它身边走开，不做任何攻击性的肢体语言，艾米是在告诉它自己没有威胁性。

艾米现在只想让葡萄干主动选择跟她在一起，去追随她。令艾米高兴的是，当她在训练场上跑动时，这匹栗色马正是这么做的——它的鼻子停在艾米的肩膀旁，温暖的鼻息喷到她的脖子上。最后艾米停了下来，在它额头上揉了揉，算作奖赏。

“现在我们彼此熟悉了，”艾米对卢说，“我可以开始训练它习惯被人骑了。它现在要容易对付得多。”

为了证明自己的观点，她用手掌抚摸着葡萄干的后背，逐渐加重了手上的力道。葡萄干没有畏缩。艾米抚摸着它。“今天够了。”她说。

卢两眼放光，打开了大门，“这太不可思议了！”

艾米点了点头。她见妈妈做过无数次，完全明白卢的感受。“无论你做多少次，感觉都是那么神奇。”她说。

“那你打算和斯巴达联合吗？”当她们牵着葡萄干穿过院子时，卢好奇地问。

此时正提着一只水桶路过的泰停了下来，“只有疯子才会在现阶段这么做，”他看着艾米说，“谁也不知道它会做出什么事来。”

“它没有那么危险。”艾米争辩道，但内心深处其实知道泰是对的。

“它很危险。”泰说，乌黑的双眼十分严肃。

“它不危险。”看到姐姐脸上担忧的神情，艾米反驳道。她转向泰。“听我说，别担心。我目前还没有考虑和它联合。真这么做，我怕它会从训练场上逃出去。”

“甚至更糟糕。”泰说。

艾米不理他。“我想，首先我要多进它的马厩，让它习惯我的存在。”她吞了吞口水。“我想今天下午就开始。”

午饭后，艾米朝斯巴达的马厩走去，她意识到自己从来没有这么不愿意和一匹马合作。斯巴达戒备地瞪着她，高昂着头颅，长长的黑额毛抖落下来，遮住了那张英俊的脸。艾米迟疑了。尽管她很紧张，她还是本能地觉得要直接走到它门前。她需要和斯巴达接近，让它意识到她没有什么可害怕的。

她向前迈出了一步。

斯巴达立即把头甩起，前腿跃入半空中。艾米刹住了脚步，一时不知道该如何是好，呆在了原地。

她想，如果我只是站在这里，也许斯巴达一分钟内就会平静下来，允许我靠得更近。又或许我只是不必要地增加了它的压力。

她等待着，但斯巴达没有平静下来。它不停地走来走去，头抬得高高的。又过了漫长的几分钟，艾米从马具室拎来一把椅子，放在这间宽松的马厩前面。斯巴达还在不停地前后左右来回走动。

一个小时过去了，艾米站起身，试着把椅子再凑近点儿，但斯巴达猛地抬起前腿。艾米觉得应该给它一个喘息的机会——也许她明天运气会好一点。当把椅子送回到马具室时，她禁不住担心，也许她根本就没有机会。

也许我该打电话给斯科特，告诉他我办不到，艾米心想。

她折返回马厩，斯巴达正在向门外望去。她顿了顿，站在它的下风向。斯巴达眺望着原野，没有注意到她。它耳朵竖起，一瞬间，她仿佛看到了事故发生前那匹俊秀、灵透的马儿。

艾米朝前走去。斯巴达听到了她的脚步声，猛地转身，眼睛死死地盯着她，就在那一刻，他们都想起了那个可怕的夜晚，恐惧在他们之间流动。斯巴达闷哼了一声，猛然后闪，退回到它的马厩里。

艾米呆若木鸡地站在原地。她突然明白过来，她不打算给斯科特打电话，她不能。无论她喜不喜欢，她和斯巴达都是捆绑在一起的。尽管斯巴达对她恨之入骨，但她是唯一理解它的遭遇的人，也是唯一能减轻它的痛苦的人。

吃过晚饭，艾米和卢正在收拾餐桌，这时电话铃响了。艾米接的电话，随后把电话递给了卢。“是你的。卡尔打来的。”

卢赶紧接过电话。“卡尔！”

艾米打开电视机，瘫倒在一张扶手椅里。她在电视的背景声里听到卢把一切进展都悉数讲给卡尔听。过了一会儿，出现了短暂的停顿。“是的，我也想你。”卢对着电话说，

“我等不及再见到你了，再过两天你不就过来了吗？”

艾米翻了翻白眼。

卢的语气稍稍变了。“我还不能回去。你知道眼下他们需要我待在这里，卡尔。”又是一阵停顿，接着她的声音里含着些许愠怒。“我不知道什么时候，”她说，“是的，我是说过过完夏天，但……”她被打断了，“我当然想回去和你在一起，但现在我必须待在赫特兰德马场。”她扭头，看到艾米正望着她，于是放低了声音，“听我说，这个问题等你到这里来后我们可以再商量。”

艾米扭回头去看电视。

“卡尔怎么样？”卢放下电话时外公问道。

“很好，他……”

“嘿，听我说！我还以为自己的眼睛出了问题！”艾米突然在椅子上直挺挺地坐起来，打断了卢的话。“电视上有绿石南马场的广告！”

绿石南马场是距离赫特兰德马场不远处的一家大型马场，主要代养普通马和赛马。绿石南的主人瓦尔·格兰特正站在粉刷一新的十八间马厩前，对着摄像机镜头朗声大笑。

外公和卢走过来站在扶手椅后面。

“想要一匹完美的小马驹吗？”电视上的声音问，镜头一转，画面上出现了几匹漂亮的小马驹，它们在障碍赛赛道上慢跑。“一匹能为你赢得奖杯的小马驹？”

艾米皱起眉头。她知道瓦尔·格兰特为了让她的小马驹训练出正确的跑姿、头姿，参加障碍赛时马蹄能准确抬起，手段无所不用其极。

镜头缩小，近距离地锁定在一位骑手身上。“是艾什莉！”艾米喊道。

艾什莉·格兰特，十五岁，艾米的同班同学。她正骑着那匹小马驹，动作流畅地朝一个障碍跑去。艾什莉完美无瑕的马裤紧贴在她苗条的腿上，光滑的金发向后束成马尾，脸上化了漂亮的妆。她的小马驹完美地跳过了障碍，她停下来，直面镜头展露甜美微笑。

“如果你梦想拥有一匹完美的小马驹，”镜头转切到瓦尔·格兰特，她正在抚摸一匹小马驹，它的马笼头上飘动着一根蓝绶带，一个声音说，“那么请到绿石南来。这里能让你梦想成真。”

“真恶心！”音乐慢慢停息，下一个广告跳出来时艾米喊道。她愤怒地转向外公和卢。“这所有的一切都是针对那些只想获奖，想要被驯养了的小马驹的人。”

外公点头表示同意，但卢看着电视若有所思。“你知道的，做广告这主意不赖，”她说。“我们也许也可以考虑一下，谈一谈……”她关掉电视。“外公，艾米，是时候把我对赫特兰德马场所做的计划跟你们讲讲了。”

“啊，是的，你想让我们增收的计划。”外公说。

“是的，”卢飞快地说，“别那样看着我，”她明显看到艾米脸上阴云密布。“说到生意，我知道自己在说什么。这是我最擅长的方面。”她拿来一叠纸。“首先，”她说，“显然我们要筹募更多的资金。在冬天前，牲口棚的棚顶需要修理，还会有其他开支——地毯、额外的干草和麦秸。而且，我觉得我们有必要缩小赫特兰德马场的规模。”

“别像开会一样说话，卢！”艾米反驳道。

“但我们经营这个地方是在从事一门生意。”她不给艾米继续开口的机会，接着说道，“现在，我的第一个想法是为冬天筹募资金：我想我们可以举办一场牲口棚舞会。”

“牲口棚舞会？”杰克·巴特利特反问道。

“别那样一副表情，外公。”卢责备道，“开舞会是筹钱的理想方法。我们请一支乐队，提供食物和饮料，然后卖奖券抽奖。这地方够大了。”她说。

“但谁会来呢？”艾米脱口而出。

“妈妈的朋友们，”卢说，“这是邀请他们过来的理想时机。我想他们已经给了我们足够的等待时间……”她的声音逐渐变小，“这也是破冰的一种方式，我们要让他们知道，我们不想让他们继续远离我们。他们会支持这项事业的。”

“但是卢，你确定管用吗？”杰克·巴特利特用一只手理着头发，“听起来要花不少钱——乐队、食物、中奖的奖品。我们哪儿来这么多钱支付所有这些？”

“嗯，有卖奖券的钱，我们还要请人们帮忙捐赠。过去人人都乐意帮助赫特兰德马场，不是吗？”外公点了点头。“那么，这次他们也会，”卢说，“这个想法就是我们只需花很少的钱，就能筹到大笔资金。”

“要是人们不来怎么办？”艾米说。她很难想象他们家的朋友会来参加一场必须自掏腰包的舞会。

“他们会的！”卢坚持道。她看着外公，“好吧，您怎么看？”

“我觉得可行。”外公犹豫着说。

“太好了！”卢说，“我现在就开始组织——在两周内举行，越快越好。”

“两周！”艾米吃惊地喊道。

卢把手一挥。“两周足够了，没问题。卡尔到了以后会帮我的。我马上就去打电话。”

艾米皱起眉头。她对这场舞会有一种不好的预感。有什么不太对劲。

卢抚平她的材料。艾米留意到这么多年来她第一次看到姐姐很在行的样子。“现在让我们来看看能提高赫特兰德马场收入的方法吧。显然，我们的钱大部分都来自付费马——到这里来解决它们问题的那些非永久居民。我想我们需要更有效地推广自己，来争取最大量的顾客。”她抽出一张纸。“那么，我建议我们印些宣传手册给马具店、饲料供应商——基本上凡是喜欢马的人会去的地方我们都发送。看看这个大纲。”

艾米看到她手里拿的那张纸分成了三大块。第一栏用大写字母标示着赫特兰德马场，还有挑选几张照片的建议。第二栏描述了赫特兰德马场的工作性质，句子是从最新的一份杂志上引用过来的，大写的“尼克·哈利维尔倾力推荐”横贯其中。最后一栏详细描述了赫特兰德马场提供的服务和收费标准。艾米的心往下一沉。卢根本不明白赫特兰德马场是干什么的。妈妈从来不做预算！她总是随机地向顾客收取费用，避免固定价格，因为她相信每一匹马都是独一无二的，需要用不同的方法来治疗。计划上有几行字吸引了艾米的眼球：

在赫特兰德马场，我们提供一项独一无二的服务——只需五十美元，我们就能测评您的马的需要，并提供一份详细的书面评估。

“不。”艾米说着摇了摇头。她指着那扎眼的一段。

“怎么了？”卢问。

“我们不能这样有价评估马。绝对不能！”

“为什么不能？”卢问。“这很正常，如果想让别人为你做什么，你就要先得到报价，然后决定要不要购买。”

“但这怎么能做到呢？”艾米喊道，“你只有开始着手治疗一匹马后才会知道这匹马需要花多长时间，甚至在治疗期间还有可能遭遇挫折，又或许情况不能像计划那样顺利进行。妈妈从来都是在治愈马后才收费的。”

“人们希望得到明确报价，”卢说，“这么做显得更专业……”

“好吧，反正我不干！”艾米打断她，“我不想改变。妈妈在的时候还不是一样干得好好的。”

“我们还能做得更好。”卢说。她摇了摇头，看上去很生气。“艾米，我只想帮忙。我们不必什么都一板一眼地按照妈妈的方法做。我们能做出改变，让这里变得更好。”

“不，我们不能！”艾米说，一阵恐慌向她袭来，她分贝提高了。她不想让这里改变。她想让一切都维持妈妈离开时的样子。“你就打消这个念头吧，卢！打消这个愚蠢的宣传手册的想法！”她站起来。

“好啦，艾米，”外公插嘴说，“坐下，让我们心平气和地谈谈。”

“不！”艾米气冲冲地朝门走去，“砰”的一声甩上了门。她克制着阵阵心慌，匆匆地朝卧室走去。她不能让卢改变这里！她绝不能容许这种事发生。

卧室门一打开，她的目光就定格在了梳妆台上妈妈的照片上。她走过去拿起来。“噢，妈妈，”她绝望地喃喃道，“为什么你不在这里？”

第四章

第二天早上，厨房里弥漫着剑拔弩张的气氛。昨夜噩梦连连，又搅得艾米一宿没睡好，她头昏眼花。昨天和姐姐吵架更增添了她心头的压抑。她在餐桌旁坐下，直朝卢皱眉。

“你能把牛奶给我递过来吗？”卢客气地问。

艾米把盒子朝她递过去，“砰”的一声放在了餐桌上。她再次站起身，从卢身边擦身而过去拿水壶。

“艾米！”卢恼火地喊道，艾米打到了她的胳膊。

“哎，我说你们两个够了。” 杰克 · 巴特利特叹了口气说。“咱们折中怎么样？”他顿了顿，“我们还是考虑考虑宣传手册的主意，卢，但你得稍作修改，然后再和艾米商量一下。”

“可根本不需要修改，外公！”卢表示反对，“我真的觉得现在这样就很好……”

“折中。”外公的语气没得商量。

“好吧，”卢叹了口气，“我会再看看。”她看向艾米，“但舞会要如期举行。”

外公点了点头。“这个没问题。舞会可以继续，艾米和我会尽全力帮助你。”艾米正打算张嘴表示反对，外公给了她警告的一瞥。“是不是，艾米？”

“我想是的。”她无可奈何地轻声说。

“好，”外公微笑道，“现在，我们能不能文明相处呢？”

上午的时候，斯科特那辆破旧的雪佛兰沿着车道突突地开过来。艾米匆匆穿过院子去迎接他。“嗨！”斯科特冲艾米打了声招呼，下了车。“我路过，过来看看。”

恰巧卢正抱着满怀的新鲜青草从院子里经过。卢停了下来，“你好，斯科特。”

斯科特微笑地看着她怀里的青草。“喂给萨加富的？”

“是的，”卢说，“我昨天喂它吃了一些，它很喜欢。你想不想来看看它？”

斯科特走了过去。他们穿过院子，艾米听到卢正在跟他讲牲口棚舞会的计划。

“这太棒了！”斯科特说，明显被打动了。“你可以算我一张！我会帮你把话传开，毕竟，这是一项良好的事业。”

“太好了！”卢说，眼睛顿时亮了，“谢谢你，斯科特。”

艾米很吃惊——她没想到斯科特会对舞会这样的事感兴趣。也许是她不通情理，这真的是个不错的主意。她打着哈欠去马具室了。

泰正在清洗一个马笼头。艾米拿起一个梳洗桶时他抬起了头。“你打算去给谁梳理？”

“斯巴达。”艾米说。

“你确定？”泰问。

“要么现在，要么就永远别去。”艾米坚定地说。

她一打开斯巴达的门，它就向前冲来。但艾米的动作更快。她靠近斯巴达的脑袋，飞快地把缰绳套在马笼头上。

斯巴达感觉艾米的手靠近了它的脸，顿时慌乱起来。它后腿直立，前蹄轰然落下。艾米依然紧抓不放，靠近它身边站着，它前蹄一落到地上她就朝它头边挪去。斯巴达转动着眼珠，不情愿地屈从了马笼头和缰绳的控制。

“放轻松。”艾米拿起一把梳洗刷安抚道。

斯巴达惊魂未定。它的身体语言告诉艾米，它不想让艾米待在它的马厩里。它不想让艾米抓住它的脑袋，它不想让艾米为它梳洗。

艾米下定了决心，把刷子抬到它的皮毛上。斯巴达身子往后一缩，好像艾米要揍它似的。

艾米叹了口气。她知道自己一定要坚持为斯巴达梳洗，态度要坚定，要对它和善，要持之以恒。但她不忍心给这匹马施加额外的压力。她把毛刷放回桶里。也许她还是把它牵到外面去散散步比较好。

艾米把斯巴达牵出了马厩，往房子前面一大片草地走去，眼睛时刻留意着它。斯巴达哼了一声，紧张地高抬步走在她身旁。艾米让斯巴达停在草地上，但它没有低下脖子。相反，它绷紧了身上的每一块肌肉，站在那里，眼睛紧盯着她。

泰走了过来。

“我希望它能放松下来吃点儿草，”艾米说，“但看起来它不想让自己松口气。”

“让我来牵着它吃一点儿怎么样？”泰主动提出。

“好吧。”艾米说。

泰接过缰绳。

等艾米走到斯巴达认为安全的距离，它就低下头，猛地开始去啃青草。

艾米用手背擦去额头上的汗水。

泰看着她。

“给它点儿时间。”泰静静地说。

艾米点了点头。当涉及到马时，泰似乎总能理解她的感受。他们的合作真是天衣无缝。他们默默地站在那里，看着斯巴达吃草。

过了一会儿，斯科特和卢一起从院子里走过来。“斯巴达怎么样了？”斯科特问，眼睛望着那匹枣红色的马。

艾米想着不知道该怎么回答。她怎么能向斯科特坦白说她对斯巴达一筹莫展呢？他会怎么想？“它还好。”她飞快地答道。

“太好了，”斯科特面露微笑，“好吧，继续努力。”

当斯科特转身朝那辆雪佛兰走去时，艾米发现泰疑惑地看了她一眼。幸好泰没有揭穿，她心头的一块大石头总算落下了。

艾米目送斯科特开车离去，叹了口气。“现在我要把斯巴达牵回去了。”她说。

“好。”泰回答道。

艾米从泰手里接过缰绳，斯巴达警觉地把绳子往后拖。“别紧张！”艾米安抚道，但这匹马疯狂地把头往上抬。艾米凑近，挪到它身边，拉紧了绳子。“向前走。”艾米说着舔了舔舌头。

斯巴达不情愿地跟在她身边往前走，艾米能感受到它身体里的每一块肌肉和每一条神经都跳动着剧烈的仇恨。

泰为艾米打开了斯巴达的马厩门。卢走过来，赞赏地看着这匹枣红色的马。“它怎么样？”她问。

“很好。”艾米短促地答道。她把斯巴达牵进马厩里，不自觉地放松了缰绳。这正是斯巴达一直等待的机会。

好不容易自由了，斯巴达猛地朝艾米扑过来，用整个身体的重量猛烈地撞击艾米，将她顶到了墙上。她跌跌撞撞，听到卢在尖叫，泰在喊她的名字。但艾米的动作比斯巴达更迅速。她飞快地爬起来，朝斯巴达冲去。她的手指摸索着它的马笼头。一抓住皮革，她就一把拉住它的脑袋，把它拉回到角落里，再次控制住它。

有一会儿，艾米只是怔怔地站在那里，紧抓着斯巴达的马笼头，心狂跳不止。

“艾米！快出来！”卢喊道。

艾米闻言转身，看到卢和泰惊恐地瞪着她。

她把斯巴达牵到门边，在确定自己能安全溜出去后才把它松开。她颤悠悠地呼出一口气。

卢抓住她肩膀。“艾米！你差点儿受伤！”

“没什么。”艾米身子往后退，双手依然在发抖。她回头看着马厩，不愿意他们中的任何一个责怪斯巴达。“我太蠢了！真不该那样松开绳子。”

“但它想要你的命！”卢喊道。

“它没有！”艾米反驳道。她摇了摇头，很是生自己的气。“我应该更小心的。”

“更小心！”卢喊道，“那匹马很危险，艾米！应该放倒它！”

“什么？”艾米倒吸了一口冷气。

“它不安全。”卢喊道。

愤怒在艾米体内汹涌流窜。“你知道什么？”她喊道，走上前去。“你突然就成专家了对不对？”她看到卢的脸变僵了，但她情绪烦躁，住不了口。“你不知道自己在胡说八道什么，卢！”她喊道，“走开！”

卢顿时脸色煞白，转身离开了。

空气中出现了短暂的沉默，泰轻声咳了咳，“艾米，你有点儿太冲了。”

艾米转身，“她不该那么说！”

“她只不过是关心你，”泰说，“你不该那样和她说话。”

艾米羞愧难当，脸刷地一下子红了。“她是我姐姐，我想怎么对她说话就怎么说。你别多管闲事！”

“好吧，”泰短促地说，“如果你这么觉得的话。”他转身走开了。

艾米目送他从视线里消失，她的怒火来得快去得也快。“太好了，”她喃喃道，扔下缰绳，“真是太好了！”

尽头处的马厩里传来一声鼻息。艾米转身，看到珀加索斯正在看着她。“噢，珀加索斯。”她叹息着朝它走去。珀加索斯蹭着她的头发。艾米抚摸着它的脖颈，感觉自己的愤怒如潮汐般慢慢消退了。她叹了口气。她知道该怎么做了。

她深吸了一口气，朝院子走去。泰正在粪堆旁打扫。他肯定听到了她的脚步声，抬头看了看，发现是她后又继续专心打扫起来。

“对不起，泰。”艾米说。

泰倚在扫把上，看着她。

“我不该对你说那些话，”艾米说，“我……我只是一时失控。”

“没关系。”泰耸了耸肩说。

“当然有关系，”艾米飞快地说，“我不是存心的。”她揉了揉额头，“所有事情都聚在了一起。我这段时间一直没怎么睡好。对不起，泰，真的对不起。”

泰脸色变柔和了，“听我说，别放在心上。”

艾米叹了口气，心头的一块重石总算落下了。她不想泰对她心存芥蒂。“谢谢。”她感激地说。

他再次捡起扫帚，“那你会去向卢道歉吗？”

“她那么说斯巴达，我干吗还要跟她道歉？”艾米反对道，“她懂什么？”

泰耸了耸肩。“她懂的也许不多，”他抬头扫了她一眼，“但她的确关心你，艾米。”

“没门儿！”她说着探究地看着他，“我不打算跟她道歉。”她看到泰扬起了眉毛。“坚决不！”

第五章

一个又一个小时过去了，艾米开始为自己对卢的粗鲁态度感到愧疚，但她还是不想低头。每次想到要把斯巴达安眠，她就烦躁不已。

艾米一整天都避免进农舍，直到最后实在无法拖延。她和马儿们道晚安后，不情愿地朝后门走去。

卢正坐在餐桌旁。

艾米一进门她们的眼神就相遇了，她立即转开眼睛，踢掉了运动鞋。她等着姐姐教训她把鞋子收拾好，但卢什么都没说。

艾米从冰箱里拿出一瓶可乐，朝卢瞟去，卢正在往餐桌上摆放三套刀叉，每搁下一个金属餐具，餐桌上都发出一声闷响。她的脸白得像纸片。

突然，艾米再也忍受不了这种压抑的气氛。“卢……”

卢抬头看着她。

“我不该对你那么说话，”艾米飞快地说，“对不起，我没想要伤害你的。”

卢的脸变得柔和了。“噢，艾米，”她说着朝艾米走来，“我只是太担心你了——”

这时杰克·巴特利特走进了厨房，卢赶紧打住了。

“嗨，宝贝儿，”他对艾米说，随即皱起了眉头，“我听说你今天和斯巴达出现了一点问题。”

艾米的眼睛飞快地看向卢，卢的脸刷地红了，别开了眼神。

“艾米？”杰克·巴特利特追问。

“嗯，其实不是这样，”艾米想办法撒谎，心狂跳不止。为什么卢要把这件事告诉外公？如果外公认为斯巴达危险的话，他就不会再让她训练它了。“它只是有点儿兴奋，”她飞快地说，“没发生什么真正可怕的事情。”

“它想攻击你，艾米！”卢说。

“不是这样！”艾米喊道，“你夸大其词！”

“你知道我没有！”卢对她回喊道。

“够了！”外公一声怒吼，一拳打在餐桌上。

艾米和卢怒目而视。

杰克·巴特利特看完了这个又看那个。“如果它那么危险，艾米……”

“它不危险！”艾米打断道，“外公，它只是需要帮助！”

外公看了她半晌，好像想要说什么，然而令艾米如释重负的是，这件事就这么过去了，外公转身去处理炉子上沸腾的炖菜去了。艾米斜睨着卢，气冲冲地从她身边经过去更衣了。

66

第二天早上，艾米下楼时，卢正在忙着制定舞会邀请名单。

“早上好，外公。”艾米打着哈欠，从餐具柜上的一个瓶子里摇出几片止痛药。凌晨四点她就醒了，头痛欲裂。

“你没事吧？”杰克·巴特利特关切地问道。

艾米点了点头。

卢从记事本上抬起头。“我们要决定舞会上吃什么，”她大声说，“我想我们不如来烤肉，这样一来，我们就只要买些牛排、鸡肉和玉米棒子，这样大部分吃的就搞定了。你们认为呢？”

“听着不赖。”外公说。他转身问艾米，“你觉得呢，艾米？”

艾米耸了耸肩。“我无所谓。”

“我忘了甜点了，”卢直视着艾米，“但我不会拿这些事来劳烦你的。你丝毫没有兴趣拯救赫特兰德马场。”

“够了！”外公说，“你们俩闹够了没有？”他的视线从一个身上转移到另一个身上。“现在你们两个听我说，我们周日去看场电影怎么样？出去休息一天对我们所有人都有好处，我想让你们俩换换心情。你们怎么说？”

“当然好。”艾米无所谓地耸了耸肩。

“好得很，”卢刻薄地说，“卡尔到时候也许还在这里，他也可以一起去。”

“噢，太好了。”艾米低声嘟囔道。

卢瞪着她，眼神犀利，“你这是什么意思？”

艾米看到外公警告的眼神，“没什么，”她叹了口气，朝门口走去，“我去喂马。”

吃完早餐卢就立即出发去机场接卡尔了。和泰喂完马，艾米走过去看斯巴达。她再次试图给它梳洗，这时一条黑影投射到门上。艾米扭头一看，是外公站在那里。

“嘿！”他说。

“嗨！”艾米心往下一沉。她不想让外公来，她怕斯巴达会做出什么逾矩的举动。

但她害怕的事还是发生了，外公打开门栓走了进来。斯巴达本能地往后缩。

“没事的。”艾米喃喃道，抚摸着它的脖子。

但斯巴达用它的前蹄向她袭来，她慌忙躲开，马蹄差点儿碰到她的手。她看到外公皱起了眉头。

“它为什么要那么做？”他问。

“它不喜欢我碰它。”艾米悄声说。

杰克·巴特利特摇了摇头，看着斯巴达平贴的耳朵和滚动的眼珠。“我对它没有好感，艾米。”

“它会好的，”艾米坚持道，“它只是心灵受到了重创。我会让它好起来的。”

杰克·巴特利特叹了口气。“艾米，宝贝儿，不是每匹马都能治愈，就连你妈妈过去也承认这一点，”说着他朝她走过来，“有时候，尽管很难，但最好还是接受没有……”

“不！”艾米打断他，她知道他要说什么，她不想听。好像意识到她一时走神了，斯巴达突然把脑袋往前一

伸。艾米看到它的头转过来，急往后闪。但外公的动作可没有那么利索，斯巴达的牙齿咬进了外公的手臂里。

外公痛苦地大叫了一声。艾米吓得顿了一顿，伸手去抓斯巴达的笼头，但太迟了。

“我的胳膊！”外公喊道。斯巴达的牙齿在他皮肤上留下了一排丑陋的红牙印。

“外公，对不起！”艾米喘着粗气说。她瞪着斯巴达。

斯巴达站在那里，没有丝毫悔意，耳朵依然向后贴着脑袋。她跟着外公匆匆跑出马厩。“这是个错误，”她说，她的眼里蓄满了泪水。“它不是有意的。”在她身后， 斯巴达把马蹄砸在马厩墙壁上。“求您了，外公，它真不是故意的。”

杰克·巴特利特抓着手臂，默不作声地大踏步往房子走去，艾米跟在他身后。厨房里，艾米看着他拿出急救箱，擦洗伤口。她愧疚至极。“我去拿点儿山金车霜，”她提出，竭力想去找点儿什么能帮上忙的，“它能消肿。”

艾米匆匆穿过院子，跑去饲料室的橱柜，所有的药物都储存在那里，她拿着那瓶药膏回来了。

外公把它涂到胳膊上。他神情肃穆，一边旋上瓶盖一边直视着艾米，说话的声音虽轻，但却无比坚决。“不能继续下去了，艾米。它说不定哪天真的会伤人。”

艾米艰难地咽着口水。“它不会的，外公。它会好起来的。它只是还需要一些时间。”

“我想相信你，但我不能。”外公叹了口气，“我想……”但他还没来得及把心里的话说出口，就听到一辆车停在了房子外面。艾米从窗户往外看。“是卢和卡尔！”当车门打开时，艾米全身上下一阵轻松。她知道卢和卡尔的到来会暂时分散外公的注意力。

“这件事我们稍后再谈。”外公说着朝门口走去。

卡尔正站在车边四处张望，他的黑发无可挑剔，眼睛躲在墨镜后面。令艾米吃惊的是，他穿着牛仔裤，皮带上扣着搭扣，脚上是结实的靴子。不知为何，她原本以为他会像之前她看到过的那样西装革履。她打量着他的这身穿戴，看上去是全新的，而且价格不菲。为了打扮得休闲点，他显然费了番心思。

卢转到车前。“你还记得外公和艾米吧，卡尔？”她开心地说。

“当然。”卡尔冲艾米笑了，走上前，向外公伸出了双手，“很高兴再次见到您。”

“飞行旅途愉快吗？”杰克·巴特利特问。

卡尔点了点头。“还行。”他环顾四周。“这个地方很整洁嘛！”

杰克·巴特利特笑了。“嗯，我们喜欢这地方。快把行李搬进来，让卢带你四处转转。”

“好的，没问题。”卡尔从后车厢拉出一个绿色和米色相间的小旅行包，背到肩上，跟着外公和卢走进了屋子。

艾米没有跟进去。她感到很困惑。卡尔貌似很开心，和她记忆中的像完全换了一个人。她走到珀加索斯跟前，若有所思地抚摸着它的脖子。

过了一会儿，卡尔和卢从屋子里出来了。“这是珀加索斯，”当他们走近时卢说，“它是爸爸的马。直到出事前它都是世界顶级障碍赛赛马之一。”卡尔朝马走去。“它见到陌生人有点儿紧张，”卢飞快地警告道，“你接近它的时候要当心点儿。”

卡尔自信地大笑起来，“我知道怎么和马打交道。我小的时候和我堂哥的小马驹玩过好几个小时呢。你好，大块头家伙！”他边说边把手伸出来在珀加索斯的额头上用力猛拍，“你好吗？”

额头上毫无预料地突然被人猛敲了好几记，珀加索斯吓得不轻，它闷哼了一声，急往后闪回到马厩里。

“嘿！”卡尔喊道，看起来颇为吃惊。

艾米蹙着眉。“你怎么能那样接近一匹马！我记得你刚说你知道马的习性。”

“我当然知道，”卡尔尖刻地说，“只不过这匹马不好惹。”

如果一个陌生人走到你面前，在你两眼之间猛拍，你会是什么感受？艾米真想大声质问他。

卡尔转身面对卢。“对了，有什么我能帮得上忙的吗？那边的那匹看上去需要梳洗一下。”他朝斯巴达走去，“嗨，小伙子！”

斯巴达扭动着脖子向前伸。

“我想我们还是不要打扰斯巴达的好。”卢说着一把抓住卡尔的胳膊，拉他走开了。“但我想带你去看看尽头处的一匹小马驹。”

“带我去吧。”卡尔说。“有什么需要帮忙的，尽管开口。”

卢看着艾米。“我们去看看行吗？我们去看一看萨加富。”

艾米点了点头。她目送着他们穿过院子，朝后排牲口棚走去。她听到卡尔说，“啊，是的，我吓了一大跳。”她暗自锁紧了眉头。卡尔显然对马一窍不通，为什么还要装作很懂的样子？

75

那天下午马特打电话过来。“嗨，你怎么样？”

“还行，”艾米对他说，“卡尔来了。”

“情况怎么样？”马特问。

艾米皱了皱眉。“不好说。他显然对马一窍不通，却在那里一个劲儿地装。我想他不过是想取悦卢。”

“那有什么关系？”马特说，声音听起来很困惑。

“我不知道……”艾米竭力解释，“只不过他装得太过卖力了。”

“是的。”马特说，但声音听上去不像是弄明白了的样子。他顿了顿，“这周我们去看电影怎么样？”

艾米叹了口气，“我这里真的忙得脱不开身。卡尔在这里，卢正在准备舞会的各项事宜。卡尔今天晚上要带我们出去吃饭。要不你什么时候抽空过来吧！”

“好，没问题，”马特说，“待会儿见。”

艾米放下话筒时厨房门开了。卢和卡尔手牵着手走了进来。“嗨！”卢说，眼睛亮晶晶的，“我就知道你在这里。卡尔给赫特兰德马场想出了几个盈利的好点子。”

“什么点子？”艾米说。

卡尔坐了下来，“就是帮这个地方多赚点钱的方法。”他搂着卢的腰，把她拉近自己。

卢咯咯笑起来，弯腰亲了亲他的额头。“你来了真好。”她对他说。

艾米拉长了脸，朝门口走去。

“你难道不想听听我们要说什么吗？”卢问，声音听起来很受伤。“我们可以举办一个‘收养马’的活动，就是人们支付一定费用，获得一张马照和简报。”

艾米摇了摇头，“行不通。我们要尽量给所有的马重新找到新家，我们这里固定的马并不多，做不了这种事。”

“噢。”卢说，眼神顿时变得暗淡无光。

“听我说，我要回院子里去了。”艾米飞快地说，她不想在这个问题上继续纠缠，转身离开了。

那天晚上在酒店共进晚餐时，卢和卡尔把他们想出的其他主意告诉了外公和艾米。杰克·巴特利特一边听一边点头，而艾米则尽量压制心中越来越强烈的紧张感。有卡尔在身边，卢显然真的很开心，艾米不想毁了这个夜晚。她甚至开始劝自己，为了卢，也许应该试着去喜欢上卡尔。但当卢向他们讲解卡尔提出的把营救马的马厩削减至五间，把其他所有马厩都用来安置人们送来救治的付费马时，艾米再也忍不住了。

“什么？”她大声喊道，引得酒店里的一些顾客纷纷侧目。艾米放低了声音，“你脑子里在想什么啊，卢？”

“这有道理，”卢说，“有了付费马，我们才能养得起营救马，我们会盈利的。”

“我们不能减少营救马的数量！”艾米说，“事实上，我们不会做任何改变。”她的喉咙收紧了，“一切都要保持妈妈离开时的模样，不做任何改变。”她头痛欲裂。她注意到外公正在看着她，张嘴想说什么。“不能改变！”她重复道。突然，她再也无法在餐桌边待下去了。她站起身，匆匆朝卫生间走去。里面没有人，这让她松了一口气。

艾米看着镜子里的自己：脸色苍白，灰色的眼睛周围因没睡好而印着粉红的阴影。千头万绪在她脑中飞旋——卢和卡尔、斯巴达、赫特兰德马场的改变、妈妈……

她闭上双眼，把额头抵在冰冷的玻璃上，这会儿她真希望自己身处异处——任何地方都好——只要不是在这里。

那天晚上，她像往常一样再次受到噩梦侵扰。树枝的咯吱声和风雨雷电在她耳畔轰鸣，她眼睁睁地看着树倒下来。艾米拧开灯，此时是凌晨三点半。她坐起来，等待着惊恐消退。

她深吸了一口气，从地板上拿起一本杂志，拉起床单裹住自己，开始翻看。她看了约莫半个小时，卧室门突然“吱呀”一声开了。她抬起头，只见外公站在门口，看起来很担心。

“艾米，”他低声说，“现在是凌晨四点，你亮灯干什么？”

“我……我睡不着。”她说。

他的脸变得柔和了，他走过来坐在她身旁，“你又做那个噩梦了对不对？”

艾米点了点头。

杰克·巴特利特看了她一会儿，然后抚摸着她的头发。“就算是没有那些梦，夜晚的时间也总是最难熬的，对不对？”他柔声问，“我有时候晚上会躺在床上翻来覆去睡不着，我想：为什么那个暴风雨的晚上要让你和你妈妈出去？我为什么没有阻拦你们？”

艾米吃惊地注视着他，“但这不是你的错，外公！”

“我知道，”他说，“内心深处我其实很清楚，如果那天晚上不是你妈妈下定决心要去，谁都劝不了她，反过来，如果她不想去，谁也勉强不了她。但我还是感到……”他注视着艾米的眼睛，“总觉得应该做更多，总是责怪自己。”

艾米艰难地大口呼吸，外公欠下身，抱紧了她。“一切都会变得好起来的，宝贝儿。”他说，“我保证。”他把她抱在怀里，轻轻摇晃着。

艾米紧闭双眼，忍着泪，喉咙发哽。外公说得对吗？她知道外公没有什么可自责的，但她呢？那天晚上是她恳求妈妈出去的。

外公的话犹在耳畔：如果她不想去，谁也勉强不了她。她多么渴望自己能相信这句话——打心眼儿里相信。

卡尔原本只计划在这里住一晚，但第二天他赖着不走。到了晚上，艾米巴望着他快点走人。在她看来，他对这里的一切兴趣明显都是装出来的。艾米不相信卢会看不出来。但卢似乎对他的装模作样熟视无睹，她很高兴身边有个人能把她想革新的想法当一回事。

那天晚上艾米忙完马回到屋里，发现卡尔和卢都在厨房，他们打扮齐整，像是准备出门的样子。“把你的鞋子收起来。”卢不假思索地提醒她。

艾米执拗地将运动鞋踢到一个角落里。她累了，不想听卢唠叨。“我们的饲料不够用了，卢。”她冒失地说。

“我已经订了一些，”卢说，“周一早上就会到。”

艾米吃惊地抬头看着她，“但麦克库洛奇周一是不送货的。”

“我们不再从麦克库洛奇那里订饲料了，”卢说，“他们的实在太贵。卡尔和我今天下午仔细查了查，拉斯莫尔斯店一立方饲料是麦克库洛奇店的半价，所以我们决定从今以后都用他们的。”

艾米难以置信地瞪着她。“你说你干了什么？”她问。

“我们决定要用拉斯莫尔斯店的饲料，”卢重复道，“他们周一送来。”

“这主意很棒，”卡尔在一旁帮腔，“这样可以节省很多钱。”

“不可能！”艾米喊道，“赶紧取消，卢。拉斯莫尔斯的饲料是次品。如果我们用他们的就要用两倍的量！我们不仅省不了钱，马的健康还要出问题，他们的饲料质量不好，对那些消化不好的马来说将是灭顶之灾。它们患腹绞痛的可能性将大大增加，还可能会有过敏反应。我们不能喂它们吃这样的饲料。”

“我倒没有意识到这点。”卢说，她的脸瞬间沉了下来。

“那你为什么都不问问我呢？”艾米沮丧地喊道。

“当时就只觉得这主意很棒，”卢辩驳道，“无论如何，你从来就没时间听我讲，艾米！”

过了一会儿，她听到后门开了。她从卧室的窗户往外望去，看到卢和卡尔朝卢的小汽车走去。他们一起开怀大笑。艾米突然意识到好久没看到卢笑得那么开心了。她心中不由得闪过一丝怀疑，她是不是不该那么讨厌卡尔？显然他能让卢开心。

艾米看着两人上了车，心里进行着剧烈的斗争。她想让卢开心，但她无法克制对卡尔的憎恶。她叹了口气，也许她得更加努力才行。毕竟她想让卢待在赫特兰德马场，

这就意味着卡尔将会经常出现在这里。虽然很难，但她会去尝试。

第二天早上，艾米正在和外公喝咖啡，卢一个人下楼来了。

“嗨！”艾米想起昨天晚上下定的决心，主动和姐姐打了声招呼。

卢露出些许笑意。

“昨晚开心吗？” 杰克·巴特利特问。

“很开心，谢谢。”卢说着声音渐次低了下去。

杰克·巴特利特仔细打量着她，“卢，是不是出了什么事？”

“没有。”卢答道。她坐在餐桌边，开始把玩起一支钢笔，让它在指间不停地转动。“嗯，没什么大不了的，”她突然放下钢笔，深吸了一口气，看着二人，“我想让你们知道也好。卡尔在芝加哥找了份新工作，他想让我和他一起过去。”

艾米吃惊地盯着她，“你不会去的，对吧？芝加哥离这里太远了。”

卢没有吭声。

”外公说。

一下，”卢最终回答道，“但是

第六章

艾米跟着卢走到饲料室。尽管她们俩老拌嘴，但她极度渴望卢待在赫特兰德马场。

自从卢恳求继续待在英国的寄宿学校，玛丽恩和艾米到弗吉尼亚来投奔外公，她们俩分开了太久。艾米觉得她才刚刚开始了解自己的姐姐，她不想让她走。

“你不会真的要去芝加哥吧？”她问，“你去那里干什么呢？”

“我会找份工作，”卢说着往饲料桶里舀了些饲料，“说不定我还能说服现在的公司给我做调动。”

“你去那里只是为了能和卡尔在一起？”艾米问。

“是啊，”卢顿时严肃起来，“我想和他在一起。”

“但……那儿太远了，”艾米结结巴巴地说，“请别走，卢，和我们待在这里。”

卢直起身，蓝色的眼睛中流露出愤怒。“那有什么意义呢？”她厉声道，“你再清楚不过地表明了自己的态度，你不想让我在这里帮忙！”

艾米感到心被撕裂了。她不想姐姐提那些改变，但她无比渴望姐姐能留下来。“我想，我……”

“得了吧，艾米！”卢无情地打断了她的话，“我知道你心里是怎么想的，别装模作样了。”

“但，卢……”

“我不想谈这件事了！”卢抬高了嗓门，“讨论就此结束吧！”“砰”的一声，她把桶放在地板上，转身走出了饲料室。

吃完早餐，卡尔和卢准备去机场了。“谢谢您让我来这里住，”卡尔和外公握了握手，“这里很棒。”他转身面对艾米，眨了眨眼。“再会。”

“拜。”艾米简短地道别，希望他再也别来了。如果不是因为他，卢也不会想走。

卢挽着卡尔。“好啦，别磨蹭了，我可不想你错过飞机。”她转向外公，“我午饭时间回来。”

“记住我们今天下午要去看电影的。”外公提醒卢。

卢点了点头。

“真遗憾我不能多待，”卡尔说，“工作第一。”

谢天谢地！总算送走了瘟神。艾米暗想。

卡尔和卢开车离去后，艾米走到斯巴达的马厩里。她已经决定要再次带它出去吃草。

斯巴达愤怒地转动着眼珠，她牵它出马厩时它四蹄刨地，死活不肯走。它耳朵后贴，可惜艾米没注意到。她满脑子想的都是卢要去芝加哥的事。走到草地，她还沉浸在自己的世界里，全然忘记了还牵着斯巴达，她不知不觉中放松了缰绳。

斯巴达像一条出击的蛇，猛地把绳子往后一拉，前腿半立在空中，它伸长脖子，脱离了她的控制。绳子飞快地从艾米手上溜走了，拉伤了她的手。她吃惊地打了个踉跄。“斯巴达！”她倒抽了一口冷气。

这匹马在她身边一转，沉重的肩膀撞上了她，撞得她失去了平衡。艾米感到自己身体在下坠。她伸手太迟了。她的头撞到了一根木栅栏上，然后整个人滑倒在地，躺在那里，眼冒金星。

斯巴达在她身前，后腿直立，前蹄腾空，黑色的眼眸亮光闪闪，它前蹄朝艾米袭来，嘴里发出愤怒的嘶吼。艾米抬头看到它在自己上方挥舞着马蹄。她失声尖叫，恐惧地闭上了双眼。

“停下！”杰克·巴特利特大声喊叫。艾米迅速睁开了双眼。只见外公双颊通红，上气不接下气，紧抓着缰绳的一端，疯狂地想把马拉开。斯巴达的注意力从她身上转移开来，发狂地摇着头，转而瞄准了杰克·巴特利特。艾米爬着站起身，不顾头昏眼花，朝斯巴达的脑袋扑去。

她的手一碰到斯巴达的马笼头，它就迅速往后撤，但她用尽全身力气紧抓不放。“别动！”她喊道。斯巴达终于停了下来，它站在那里喷着鼻息，身体愤怒地抖动着，对她怒目而视。

“艾米！”外公喊道，“你没事吧？”

艾米点了点头，紧盯着斯巴达看了一秒钟。“我把它牵回到马厩里去。”她说。不等外公允许，她牵着斯巴达朝院子走去。她吓得双腿发软。

她飞快地将斯巴达牵进马厩，身子刚一溜出来，就听到马蹄挑衅地落在木门上。

下一秒外公就站在了她身旁，双臂揽紧了她。“噢，艾米！”他喊道，“我还以为它会要了你的命。”

在外公温暖安全的怀抱里，艾米体内的恐惧总算消退了，她双膝直颤。外公赶紧托住她，扶她走进屋子，然后动作轻柔地检查她的头。“明天早上这里会起个包，但我想没什么大碍。”他抓住她的手，蓝色的眼睛上蒙上了一层恐惧的阴影。“它把你撞翻在地时，恰巧我正从窗口往外望，我最不想发生的噩梦变成了现实。”“幸好您当时在看。”艾米说，要不是外公在那里，真不知道会发生什么，想到这里，一阵寒意从她脊梁上往下窜。

杰克·巴特利特抚摸着她的头发。“那匹马很凶残，艾米。我们只能把它放倒，别无选择。”

艾米盯着他，“外公！我们不能放弃它。”

“我们不得不，”外公说，艾米从来没有见过外公如此坚定过，“像斯巴达这样的马永远治不好。我知道这很难接受，但它就是那些赫特兰德马场也束手无策的马儿当中的一匹。我明早就给斯科特打电话。”艾米张了张嘴想争辩，但外公不让她说。“对不起，关于这件事我得按照自己的想法来。”他拍了拍她的肩膀，“比起任何马，你对我来说要珍贵得多。”

艾米绝望地抬高了嗓门。“但外公……”

“不行，艾米，”外公哀伤地说，“没有但是。这次没有。”他叹了口气，“现在，你该上床去休息一会儿了。”

艾米麻木地往楼上走去。她脱掉牛仔服，爬上了床。她不能袖手旁观，让斯巴达安眠。肯定有办法能让它产生回应……

答案立刻跃入了她的脑海。联合！

她之前没有尝试过，因为她一直担心斯巴达会试图跳出训练场——但这是她最后一次机会了。通过和它联合，她也许能赢回斯巴达的信任。她心头闪过一丝希望。斯巴达也许会试图逃跑，但只要还有一线希望能保住它的性命，她就准备冒这个险。

她坐起来。什么时候和斯巴达联合呢？一定得挑个没有人在的时候。外公是绝不会再让她靠近斯巴达的。

就在这时，有人敲她卧室的门，外公走了进来。“感觉好点儿了吗？”他问。

“头还是很痛，”艾米回答道，“但还好。”

“看样子我们今天下午去看电影的事要泡汤了。”外公说。

看电影！艾米把今天下午去看电影的事情给忘了。

她立即有了主意。她把一只手放在头上，躺回到床上。“嗯，我的头实在痛得厉害，去不了了，但你和卢没必要不去，”她说，“你们去吧。我待在家里没关系。”

外公摇了摇头。“今天下午泰休息，你被马那么一撞，我不放心把你单独留下。”

“我会打电话叫马特来，他能照看我。”艾米说。

看样子，外公没有被说服。

“你和卢花点儿时间共处也好，”艾米说，“你能跟她谈谈她去芝加哥的事。我不在，也许她能更坦诚。”艾米看着外公，“您也不想让她去，对吧？”

“我当然不想，但这得由她自己来决定。”有一会儿外公似乎陷入了沉思，“有机会和卢谈谈的确不错。”他站起身，“我们先看看过几个小时你会不会感觉好点儿再说吧。”

到了下午，艾米总算说服了外公和卢，她很高兴能单独留下来。她已经给马特打过电话。

“我会没事的。”午餐后，外公上楼到她房间来看她时，艾米说，“我已经给马特打过电话。”马特出门去踢球了，她已经对他妈妈说没什么要紧事，但艾米没有把这个告诉外公。

“那好吧，”外公说，“我们不会出去很久。一定要休息，向我保证。”

“我保证。”艾米说。

外公皱了皱眉。“也许我们该等马特来了以后再走。”

“不！”艾米赶紧说。她觉察到外公面露惊讶之色，“如果你们再不动身就看不到电影开头了。”

“我想你说得对，”外公不情愿地说。他弯下身亲吻了她。“你保重。”

艾米点了点头，佯装打了个哈欠，“我想睡一会儿。”

外公松了口气，“好丫头，那待会儿见。”

艾米躺在床上，听到他的脚步声往楼下去了，接着是外公和卢上车和汽车发动的声音。她下了床，溜到窗边，目送着他们开车离去。好险！

她等了几分钟，确定他们真走了以后，她穿上牛仔服，跑下楼梯，走出了房子。院子里一片静寂。空气厚重凝滞，马儿在马厩里无声无息。远处乌云密布，一场暴风雨正在酝酿中。

她从马具室里找来一根长绳，慢慢靠近斯巴达的马厩，一颗心在胸腔里怦怦乱跳。院子里异常寂静，以至于有一刻艾米感到一丝孤独。这里彻底只剩下她一个人了，还是和斯巴达在一起。

她深吸了一口气。只能这样了。

艾米打开马厩门。斯巴达立马往后一跃，枣红色皮毛下的肌肉瞬间绷紧了，它伸直了脖子。紧张感在艾米体内急窜，她壮着胆子走了进去。“别紧张，小伙子。”她说。

斯巴达闷哼了一声，那声音在静谧的空气中听起来格外响亮。艾米慢慢靠近它，嘴里一直在对它说话。当马后背向她转过来时，艾米动作迅速地朝它的头部走去，趁它还没来得及踢腿，抓紧了马笼头。“噢，斯巴达。”她绝望地说，“你不必这样。”

艾米又深吸了一口气，抓紧了马笼头上的长绳，把斯巴达牵了出去。斯巴达在艾米的身边愤怒地跳腾。一大滴雨落在艾米的手臂上，接着又是一滴。她不管不顾：无论下不下雨，她只有这次训练斯巴达的机会了。再过几个小时，外公和卢就会回来，到时候就迟了。

她把身后的门关好，牵着斯巴达走进训练场。当走到训练场中央时，她焦虑地望着栅栏。栅栏不高，刚过一米。跳过去对斯巴达来说轻而易举。她的手指在拉紧的长绳上有点儿犹豫不决。要是它逃跑了怎么办？但她还有什么选择呢？她迅速解开了绳子。这个险她不得不冒。她往后退。

斯巴达猛地一甩头，停住了，脸上露出吃惊的神情。等意识到自己自由了之后，它发出一声疯狂的怒吼，在空中甩着头，后腿打转。接着，艾米一直恐惧的事情发生了——它径直朝栅栏跑去。

“停下来！”她喊道，在后面猛追。

斯巴达猛地刹住了脚步，前腿踏进了沙地里。它转回身，望着她。奔跑中的艾米顿住了。她被斯巴达凶残的怒视给镇住了。她生平第一次如此畏惧一匹马。这时她突然意识到自己手里只拿着一根长绳，她在斯巴达面前是多么不堪一击啊。天空突然响起滚滚雷声，斯巴达嘶鸣了一声，朝她冲来。

它踩着沙地隆隆地朝她奔来，艾米的恐惧突然一扫而光，一股盲目的愤怒在她体内席卷而过，吞没了她。斯巴达居然敢攻击她！她这么维护它、照顾它、相信它！她使出全身力气，奋力将长绳朝它甩去。“不！”她喊道，气得连话都说不利索了。

长鞭飞舞，斯巴达受到了惊吓，转身从她身边跑过去了。艾米从地上抓起绳子。“你不能怪我！”她尖叫道，“这不是我的过错！”斯巴达突然停住，转身，后腿直立，眼中喷薄着憎恨和愤怒。它的前腿在空中乱蹬。艾米再次将长绳向它挥去。“那不是我的错！”她一边朝它走去一边尖叫，“不是我的错！”

斯巴达闷哼了一声，惊慌失措，放下了前蹄，从她身旁跑开了。随着一声惊天动地的爆炸声，头顶上响起了第二声闷雷。雨点密集地往下落，艾米却几乎没有感觉。她捡起绳子，在斯巴达身后挥舞。“往前走！”她喊道，“往前走！快走！”

无论斯巴达走到哪里，她都拿着绳子跟着。炙热的怒火在她体内流窜。头上参差不齐的刀叉状闪电割开天空，发出刺目的亮光。雨水像溪流般从艾米脸上流下，愤怒的泪水混合着瓢泼大雨。斯巴达不停地往前跑，艾米驱赶着它在暴风雨的轰鸣声中前进，雨水裹挟着汗水，从它的身上流下。

艾米不知道赶着斯巴达绕着训练场转了多久。在绕了很多很多圈之后，斯巴达眼中的愤怒渐次消退。艾米看到它奔跑的步伐稳定了，它的内耳对准了她。一阵震惊的热流流遍了她全身。联合！第一个信号！它疯狂地打转，试图从她身边逃离，这挣扎的过程居然导致了第一阶段的联合。这毫无疑问——它的内耳锁定在她身上，它的狂奔慢慢变成了稳定的慢跑。

艾米大口喘着气，她的衣服湿透了，贴在身上，她本能地行动起来。她让自己的肩膀和斯巴达平行，她看到斯巴达低下了头和脖子。艾米驱使斯巴达往反方向跑去，眼睛紧盯着它。

又跑了几圈。不知不觉中雷声已经停息了。她还不满足。她要它彻底接受她。接着，奇迹发生了，它开始做出咀嚼的动作。它往下伸长脖子，鼻口几乎贴到了地上，它小跑着转过身，嘴在空中咀嚼，脖子拉长，放低了。

艾米后退了一步，转开身子，眼睛盯在地上。她用眼角的余光看到斯巴达停下了。它竖着耳朵望着她。长久的停顿之后她听到它动了，它后脖伸起，但她按捺住站着不动，别开了眼神。呼吸卡在她的喉咙里，她的心怦怦乱跳。它要是再攻击她怎么办呢？它现在靠近了，比先前更近。她能听到它的马蹄在潮湿的沙地上轻轻敲击，听到它粗重的呼吸，艾米突然意识到雨已经停了。

她突然感到脖子后面有温热的呼吸，它的鼻口搁在她的肩头。她屏住呼吸，慢慢转身。斯巴达站在那里，身体随着呼吸起伏不定，皮毛上沾着雨水和汗水，但眼神中已没有了怒火。艾米异常轻柔地伸出手，揉搓着它的脸。自从来到赫特兰德马场后，斯巴达第一次接受了她的触碰。

艾米感到眼泪扑簌簌地滑落。如释重负和喜悦的眼泪洗尽了几周以来积蓄的无尽的愧疚。“斯巴达，”她小声说，喉咙里升起的涩意终于化为了啜泣，“那不是我的错，”她小声说，把头靠在它潮湿的脖颈上，听着它粗重的呼吸。“真的不是我的错。”

当她的眼泪和它脖子上的汗水混为一体时，她突然意识到这是真的——她不是造成那次事故的罪魁祸首。就像外公说的，如果妈妈那天晚上不想去，没有人能逼得了她。又一阵眼泪涌进了她的眼眶，从心底涌上来的眼泪——为如释重负而流，也为曾经失去的而流。她不再被沉重的愧疚所压抑，眼泪畅快地流淌。她搂着斯巴达的脖子，把脸埋在它的马鬃里啜泣，墓地上哭不出的眼泪此刻汹涌而至。

她的啜泣一停，斯巴达的呼吸就放缓了。艾米往后

退，才发现乌云已经裂开了一道口子。明媚的阳光从中流泻出来，照得训练场周围树木上的绿叶闪闪发光。

艾米下定了一个新的决心，火热的、激烈的决心。她也许不能让妈妈起死回生，但她能帮助斯巴达。艾米亲吻着斯巴达。

“我保证会让你幸福，斯巴达，”她小声说，它转身注视着她。“我保证。”她凝视着它乌黑的眼眸，她知道妈妈会赞许这个决定。

艾米慢慢地牵着斯巴达往它的马厩走去。到了马厩，她拿了个干草兜，把它的身体从上到下擦干了。她给它擦后背时突然停住了。就在斯巴达的肩上，一块白毛若隐若现。这是她第一次离它这么近才发现的。

她仔细检查那块地方，用手指分开那里的毛发。她双眼睁大了。是一个旧冷冻号码[①]。为了匹配它原本的毛色，烙印上的皮毛被染成了棕色，但现在那里重新长出了

①冷冻号码是用冷冻打字的方法刻上去的号码，这是一种安全、人道的保护马匹不被偷窃的方式。一般是在马身上打上数字。

白毛。小偷肯定是为了掩人耳目才这么做的。

她更加仔细地看。

混杂在两种毛发中，看不清写的什么，把这些毛发剪掉，那些字也许会更好认。艾米心潮澎湃。也许能够找到斯巴达的旧主人，也许它能和主人团聚，重新过上正常的生活。

她梳理完，慢慢坐在它食槽旁的麦秸上。斯巴达开心地咀嚼着散发着香甜气息的干草。艾米看着它，吃惊于它眼神和举止的改变。斯巴达气定神闲地用力咀嚼着干草，偶尔甩动一下尾巴。

现在可以给它好好刷洗一下了，艾米想，但她接着打了个长长的哈欠，太累了不想动，还是稍后再做吧。她把头往后靠，闭上了眼睛。就睡两分钟，她想。她的眼睫毛跳动了两下，不到几秒钟就沉入了香甜的梦乡。

第七章

“艾米！噢，我的天！”

艾米被卢的声音吓了一跳，惊醒过来。她疑惑地眨了眨眼，抬起头。

卢正低头注视着她，脸色煞白。“外公！快来！”她扭头喊道，“艾米出事了！”

“没有，我很好，”艾米匆忙解释，爬着站起来，“我只是睡着了。”

杰克·巴特利特匆匆跑到门边。“你究竟在这里干什么？”他质问。

艾米看到他一脸惊恐。“我没事。”她重复道。“斯巴达变好了。”她说着朝那匹马走去。

“艾米！马上给我出来。”卢尖声喊道。

“不。瞧！”艾米轻轻地把手放在斯巴达的肩膀上，希望它能积极回应，只有这样才能说明刚才的联合真正成功了。它探询地转过头。艾米看到它眼神平静，不由得松了一口气。她转到斯巴达身前，揉搓着它的额头。“瞧！”她说着转向外公和卢，他们顿时目瞪口呆。

“它这是怎么了？”卢喘着气问。

“我和它联合了，现在它相信我。”话一出口，艾米就意识到这句话显得多么苍白乏力。她根本不能完整地表述她的这次经历，它刻骨铭心——暴怒、愧疚、愤怒和凶残一时间统统爆发。那场狂风暴雨映射出的所有一切，都让她想到了出事的那天晚上。她从来没有过这种体验，尽管它很神奇，但她不希望再次经历。

卢和外公看起来将信将疑，但铁的事实摆在面前，他们不得不信。斯巴达站在那里像温顺的萨加富，艾米抚摸着它。

外公打开了马厩门。“艾米 · 弗莱明，”他说，无力地用一只手理着头发，“我记得我说过不想让你再接近斯巴达的。”

“我知道，”艾米说。她朝他咧嘴笑了，“但我接近了，这难道不幸运吗？”艾米从马厩里走出来。“你知道妈妈也会这么做的，外公。”

杰克 · 巴特利特看了她一会儿，将她一把搂进怀里。“是的，宝贝儿，”他亲吻着她的头发，“我知道她会的。”

艾米给斯科特打电话告诉他自己取得的巨大突破，以及她在斯巴达后背上发现的冷冻号码。这么长时间以来她第一次睡了个好觉，一宿无梦。

艾米第二天早上起了个大早。阳光穿透她的窗户照进来。她穿上衣服，走了出去。

赫特兰德马场的后方矗立着连绵的群山，山脊上的林木高高耸立，一片醉人的绿映衬着淡蓝的天空。艾米东瞧瞧西望望，深呼吸，享受着清晨凉爽的空气。她感到无比惬意，下定决心要竭尽所能帮助斯巴达。

泰一到，她就迫不及待地把昨天发生的事告诉了他，并带他去看斯巴达。

“我想只要我们剪掉它的毛发，那个烙印就能更清晰地显露出来。”她说。

“我去拿剪刀。”泰满口赞同。当他回来时，斯巴达正在蹭艾米的肩膀。泰摇了摇头，“看样子我以后要多休假啊！”他开玩笑地说，“它完全变了个样。”

艾米拍了拍斯巴达。“它没有。它只是变回了当初的自己。”

“因为你，”泰说，“你信任它，艾米。是你让它做出了改变。”

艾米双颊飞红。

斯巴达在他们身边移动。“好吧……我想我们最好开始给它剪毛吧。”泰说，声音突然变得开心起来。

艾米转到斯巴达头边。“放松。”当泰把剪刀拿到它身上时她对马儿轻声说。斯巴达畏缩了一下，但艾米抚摸着它，它不再抗拒。

剪毛只花了一分钟。“好了。”泰说着拿开了剪刀。

艾米急切地看剪掉的毛发下露出的那个长方形。六个白色的数字清晰地印在斯巴达枣红色的皮毛上。

泰从口袋里掏出一支笔和一张纸，匆匆将数字抄下。“现在我们需要做的就是给冷冻打字中心打电话。”

“我很好奇斯巴达的主人会是个什么样的人。”艾米说。

“我想我们很快就会知道了。”泰说。

艾米接过那张抄着数字的纸，往房子走去，到厨房去打电话。她拨通了冷冻打字中心，对方告诉她将怎样试着去寻找斯巴达的主人。“但，”他们提醒她，“如果马已经卖掉了，而我们的信息又没有更新，那么有时候会出现我们保存的马主人的信息过期或有误的情况。”

放下电话时艾米发现卢一直在听她打电话。

“我希望他们能成功。”卢说，“尤其是现在，你已经治好了它。”

“这才刚开始，”艾米纠正道。她知道斯巴达还没有痊愈：它需要和每个人建立信心，而不仅仅是她。她正打算不再和卢说下去，但她犹豫了。一直以来她们都针尖对麦芒，但此刻她们所有的针锋相对似乎都突然变得毫无意义。“你在干什么？”

“在看物品清单，看看还需要为组织舞会准备什么。”卢回答道。

“有什么我能帮得上忙的吗？”艾米问。

卢抬起头看着她，蓝色的眼眸中流露出惊讶。“你觉得整件事很愚蠢，”她说，“为什么现在想要帮忙？”

艾米的脸刷地红了。“我不认为它愚蠢。好吧，也许刚开始我是这么认为的，”她看出卢的神情，坦白道，“但大家好像真有兴趣来参加。我……我希望会起作用。”她冲卢微笑着，突然意识到自己说的是真的。

接下来的几个小时，艾米都和斯巴达待在一起，以增进他们之间的感情。她把它带到环形训练场，再次和它联合，然后花了很长时间给它梳洗，用力刷掉过去几周它皮毛上积聚的皮屑和油脂。最后她往它鼻孔里按摩稀释的薰衣草油，帮它放松神经。

她快要忙完的时候泰从门上探出头来。“薰衣草，”他说着在空气中嗅了嗅，“这能帮助它舒缓紧张。”

艾米点了点头。“你还能想到其他能帮到它的吗？尽管它现在信任我，但我想帮它战胜过去几个月留下的心灵创伤。”

“我会给它喂些胡桃花，”泰说，“你妈妈过去常把它用在那些需要适应新环境的马身上——往它饲料里加一汤匙蜂蜜怎么样？”

“噢，好的。”艾米说，她很喜欢这个主意。她知道蜂蜜对增加体力有绝佳的作用。她妈妈发现食用蜂蜜后，一些棘手的马似乎更好对付：它在增强它们体力的同时也让它们乐于取悦人。

就在此时车道上传来汽车声。“是马特和斯科特。”泰说。

艾米从马厩里走出来。

“嗨！”车停了，马特和斯科特从车上跳出来，她打了声招呼。

“嗨，艾米！”斯科特喊道，“嗨，泰！”

“嘿，你好！”泰热情地和他打招呼。他和这位兽医是好朋友。

“斯巴达的好消息！”他们走到马厩时马特对艾米说，“斯科特告诉我了，你肯定乐坏了。”

“斯巴达像变了个样。”泰说，“看看它现在和艾米在一起有多融洽！”

斯科特看着艾米走进马厩，抚摸着斯巴达。“这是个巨大的突破，”他说，“干得好！”

艾米的眼睛亮了，她走到门边。“这都是通过和它联合做到的。我不知道为什么没有早点用这个方法。”

“冷冻打字中心和斯巴达的主人打电话过来没有？”

斯科特问。

“还没有。”艾米回答道。

“我肯定你都等不及他们打电话过来了，”马特说，“那斯巴达就能回到它真正的家了。”

“我想是的。”艾米说。她尽量让声音听起来欢快点儿。“是的，这会很好。”

“但跟它道别会很难过，嗯？”斯科特说，同情地看着艾米。

艾米点了点头，看到了泰的眼神。“非常难过。”

“这么说你不想让它走？”马特问，声音听起来很困惑，“我还以为你想让它的主人跟你联系呢。”

“我的确是……真的。”艾米说。她看到马特一脸迷茫，很显然他不懂。她叹了口气，这不是她第一次希望马特能像斯科特和泰一样懂马。如果真这样，把他想象成男友也许就不会那么难了。

吃完午饭，艾米走出房子，听到一声嘶鸣。她看着前排马厩，以为会看到珀加索斯的头从马厩门上探出来。结果不是珀加索斯，而是斯巴达。它又轻嘶了一声，艾米笑了。“嗨，小伙子。”她走过去抚摸着它的脸。

她一边抚摸着斯巴达，一边想着如何重新安置它。艾米知道斯巴达只信任她还不够，还必须学会信任其他人。她必须让尽可能多的人来接近斯巴达——外公、卢、泰和斯科特，斯科特一来她就要让他去。

她抚平斯巴达长长的额毛。试试骑它怎么样？想到这儿，一阵战栗流遍了她全身。什么时候试好呢？她决定去问问泰的意见。

泰正在饲料室里把一小堆干草装进夜间用的干草兜里。“嗨！”看见她进来他抬起了头，打了声招呼。

“我在想，”艾米脱口说出了自己的想法，“你觉得我什么时候骑斯巴达合适？”她感到呼吸卡在了喉咙里。他会怎么说？她尊重他的意见，无论她有多想骑斯巴达，但如果泰让她等一个月，她就会等。

泰耸了耸肩。“这个周末如何？”他建议道。

“那么快？”艾米说。

“当然，”泰点了点头，“如果它继续好转，为什么要延迟？这能帮助它恢复自信。你能带它出去，让它经历新体验。”

艾米浑身充满了兴奋。这周末！她等不及了！

接下来几天，艾米一有时间就和斯巴达待在一起，触摸它，给它梳洗，用驯马索训练它，让其他人到马厩里来接触它。慢慢的，斯巴达眼底尚存的最后一点紧张也消失了。然而，它似乎仍有所保留。艾米迷惑不解。

斯巴达充满爱意，它的自信也在一天天增长，但它好像还保留着点什么。她不知道这是不是自己的臆想——她没有对任何人提起过。其他人，甚至包括泰似乎都没有注意到。

星期五早上，她正在给斯巴达梳洗的时候泰从门外看进来。“你还想着骑它吗？”他问。

“当然了，非常想，”艾米说，“我都等不及试一试了。”

“那你干吗不今天就试呢？”泰说。

“今天？”艾米反问，兴奋得心猛跳了一下。“你觉得它已经准备好了？”

“是的，”泰回答道，“要不要让我帮你去拿个马鞍和马笼头？”

艾米把头点得像捣蒜似的。她迅速刷洗完了马儿，兴奋得手指都抖个不停。她脑海中闪现出许多念头。她将要骑斯巴达了！感觉会如何?

艾米抚摸着斯巴达宽广的后背，想象着自己坐在它身上。看它那样子，骑上去肯定棒极了。她突然想起她对斯巴达的过去一无所知，心开始狂跳起来。它之前也许都没有被人骑过。它也许会把她掀下去。她的手指穿过斯巴达的马鬃，亲吻着它的脖颈。

艾米不在乎。她只想试一试。

当泰拿着马具回来时，斯巴达好奇地嗅着马笼头，但当艾米接过它，套到斯巴达头上时，它似乎并不抗拒。

“现在要套上马鞍了。”艾米说，尽管她心里紧张得七上八下，但还是尽量保持声音平稳。斯巴达对马鞍的反应将会让他们有个清晰的认识，能让他们判断出它之前是否被人骑过。她将马鞍放在斯巴达背上，扣上肚带时它一动不动。

“目前为止都很好，”泰瞟了她一眼，“如果它之前没被人骑过，不会这么平静。”

艾米如释重负地点了点头。“现在，我要上马了。”

“要先用驯马索来训训它，”泰说，“让它习惯带着马笼头和马鞍行动，把它过剩的精力消磨掉。”

他们牵着斯巴达走到训练场，艾米开始训练它。斯巴达刚开始小跑时背弓起过一次，但接着就形成了固定的节奏。过了五分钟，艾米让斯巴达停下来，然后看着泰。

“行了。”她说着拉下了马镫。

艾米上马的时候，泰走到斯巴达头边，抓住了缰绳。艾米轻轻坐进马鞍里时感到斯巴达紧张地动了动，她拍了拍斯巴达的脖子，安抚它。斯巴达很快就平静下来了。

艾米拿起缰绳，轻轻地用双腿夹了夹斯巴达身体两侧。斯巴达朝前走去，平静又放松，围着训练场转了几圈，艾米也开始放松下来。她收紧了缰绳，双腿一夹，让斯巴达开始小跑。

斯巴达一跃而起，横跨一步，好似在沙地上飞翔。

“感觉太棒了！”她对泰惊呼道。

艾米叫斯巴达慢跑，斯巴达的动作转换得很流畅。她骑着斯巴达慢跑了三圈，开心地咧嘴笑起来。斯巴达骑起来和她想象的一样棒。

最后艾米让斯巴达停下来。“哇！”她感叹道，“它太棒了。”

“它看起来很不错。”泰说。

艾米将脚从马镫里取出来，下了马。“今天最好就到此结束吧。”她说。

“跟我说实话，你明天还会骑吧。”泰咧嘴笑问。

“被你猜中了。”艾米报以微笑。

泰打开大门，艾米牵着斯巴达穿过院子。她刚取下马身上的马具，电话铃就响了。艾米把马具丢在马厩外面，朝房子跑去。她只比从菜园择菜回来的卢早一步接起电话。

“赫特兰德马场，”艾米上气不接下气地说，“艾米·弗莱明。”

“你好！”电话那头的男人的声音很低沉，“我叫拉里·鲍斯韦尔。冷冻打字中心跟我联系过，他们告诉我你那里有我的一匹马——一匹枣红色马，身上有块白色的标记。它被人偷了。”

是斯巴达的主人！

“你好……你在听吗？”男人问。

“在……在听。”艾米飞快地答道。

“你那里有我的马吗？”男人问。

“是的，”艾米说，胃部仿佛突然翻腾起来，“它在我们这里。”

第八章

“这实在是个好消息！” 拉里 · 鲍斯韦尔说，“我真不敢相信还能找到它！”艾米能听出他声音里的喜悦，“我从来没想到还能再见到它。它三个月前被人偷走了。它在你那里待了多久？”

“大约两周，”艾米说，“但那之前在兽医那里待过六周。”

“兽医？”

艾米把发生的事故告诉了拉里 · 鲍斯韦尔，拉里专注地听着。艾米一讲完拉里就吹了声口哨。“这太可怕了。

听到你妈妈遇难的消息我很心痛。你遭受了这样的不幸后还能收留格里，我对你感激不尽。”

“格里？”艾米反问。

“那是它的名字，简称杰罗尼莫，全名是‘在草地上跳舞的杰罗尼莫’。”拉里·鲍斯韦尔告诉艾米，“它是我最好的种马之一。我经营一家种马场，你明白吧——我养殖摩根马。我什么时候过去接它合适呢？我的农场离你那里大约两小时车程。”

接它！

艾米的嘴突然发干。“嗯……呃……随时都可以。”她结结巴巴地说。尽管她已经治愈了斯巴达，但失去它还是很难接受。

“但是你想要找到它的主人的，”她提醒自己，“你想让斯巴达开心的。”

“太好了！”拉里·鲍斯韦尔说道，“我今天下午三点左右过去。你能给我说下怎么走吗？”

放下话筒时，艾米还没有从震惊中回过神来。有一会儿她动弹不得。

“怎么了？”卢问。

“斯巴达的主人今天要来接它。”

“那太好了！”卢喊道。她看到艾米的神情，不确定地皱了皱眉。“难道不好吗？”

热泪灼痛了艾米的双眼。她点了点头。

“你会想它，对不对？”卢柔声问。

艾米哽咽了。

卢用手臂环住了她。“这么做是对的，艾米。它不能待在这里。至少这样一来，它能回到了解它和爱它的人身边。”

艾米知道卢是对的。马到赫特兰德马场来是为了被治愈后送至新的家庭或重回主人身边。这是她们的妈妈一直以来坚持的原则，艾米就是在这样的环境中长大的。但不知为何，斯巴达让她感觉不一样。

“我不想让它走。”她小声说。

“我知道你不想，”卢说，抱紧了她，“但这是最好的选择。你自己也知道，如果它有机会过上幸福的生活，我们就不能把它留在这里。”

艾米忍住眼泪，不情愿地点了点头。

从两点半起，艾米就和卢、泰在厨房里等待，不时地朝车道上张望。

“他声音听起来怎么样？”泰问艾米。

“还不错。”她回答道，来回踱着步。

“那就好，”卢说，“我们等着瞧吧，别担心。”她朝车道上望去。“斯科特来了。”

在接完拉里·鲍斯韦尔的电话后，艾米很快就和这名兽医取得了联系，把这个好消息告诉了他。

斯科特停好车，走进了房子。“还没到吗？”

艾米摇了摇头。

十分钟后，一辆小汽车拖着一个拖车从车道上开来了。

“是他！”艾米喊道，心里因满怀期待而七上八下。

汽车停住了。一个矮小粗壮、满头灰发的男人从车上走下来。他们赶忙从屋子里出来迎接他。“嗨！”这个男人打了声招呼，“我是拉里·鲍斯韦尔。”

卢充当主人，对在场的各位逐个做了介绍。拉里·鲍斯韦尔一一握手。“我说不出有多高兴。”他看着艾米，“就像我在电话里说的，我有一个种马场，格里对我来说一直都很特别。它从出生起就是我手把手养大的。”他的眼睛急切地在马厩里探寻，“它在哪里？”

艾米艰难地吞了吞口水。“我去牵它过来。”她说。

斯巴达被拴在自己的马厩里。艾米一进来它就竖起耳朵，轻嘶了一声以示欢迎。艾米觉得它看上去真漂亮。斯巴达身上的伤疤依然在，也许要终生陪伴它了。枣红色的皮毛油光闪亮，尾巴蓬松地垂到后踝下，如丝般光滑。额头上的伤疤很刺目，雪白雪白的。“噢，斯巴达，”她喃喃道，心脏剧烈地跳动，“再见的时候到了。”

她解开了绳子，斯巴达在艾米身上亲昵地蹭着。艾米吻了吻它，把它牵出了马厩。

拉里·鲍斯韦尔正在焦急地四处张望。“格里！”他一看到它就高声喊道。

斯巴达听到拉里·鲍斯韦尔的声音突然怔住了。它猛然抬起头，竖起耳朵，爆发出一声尖锐的嘶鸣，朝拉里·鲍斯韦尔的方向奔去，缰绳抽离了艾米的手。这匹马小跑过去，停在自己的主人身前。

“噢，格里，格里，”拉里·鲍斯韦尔喃喃道，抚摸着它的耳朵、脖子和脸，“我没想到还能再见到你。”

艾米愣在原地，脚底像生根了似的。她看到那匹马狂喜地蹭着拉里·鲍斯韦尔。眼神中的爱意明白无误——两个都是。

拉里·鲍斯韦尔动作轻柔地检查着斯巴达身侧的伤疤。“从此以后你不能再去参加比赛拿奖了，对不对，格里？”他遗憾地说，拍了拍这匹马，“我们得把拿奖的任务留给你的小崽子们啦。”

“小崽子？”艾米急切地走上前去问道，“它当爸爸

了吗？”

“还没有，”拉里·鲍斯韦尔说，“在它被偷前，我一直把它用做形体类赛马。但这次我把它带回家后会把它当种马用了。它应该能生出一些不错的小马驹。”

艾米瞪大了双眼。拉里·鲍斯韦尔显然还不知道斯巴达已经被阉了。“嗯……”她说，飞快地扫了斯科特一眼寻求帮助，“你不能用它来培育幼崽了。”

拉里·鲍斯韦尔皱起了眉头。“为什么不行？”

斯科特走上前来。“它被阉了。”

“什么？”拉里·鲍斯韦尔反问道，着实吃了一惊。

斯科特点了点头。“这是赫特兰德马场的规矩。直到上周我们才发现它身上的烙印，那之前我们甚至不确定它是不是偷来的。我们本打算给它重新安家，所以必须把它阉掉。”

“这太荒唐了！”鲍斯韦尔难以置信地喊道，“这匹马是——”他更正道，“曾经是一匹珍贵的育种种马。”他怒视着艾米，“你怎么能这么做？它是我最珍贵的种马。”

“我……我们不知道。”艾米结结巴巴地说，被他突如其来的怒气吓了一跳。

拉里·鲍斯韦尔的嗓门大了起来，“它是我的马匹中血统最优良的。它每一匹幼崽都能卖好几千美元！”

“对不起，”艾米说，眼泪在眼眶里打转，“真的对不起，我……”

“关于此事你就等我的律师传讯吧！”拉里·鲍斯韦尔咆哮道。

卢走上前来，“现在请听我说，鲍斯韦尔先生……”

男人不理她，松开了斯巴达，他从艾米和卢身边挤过，朝自己的车走去。泰牵着斯巴达奋力跟上他。

“鲍斯韦尔先生……”卢喊道，“你的马呢？”

“这里的这匹马不是我认识的那匹马！”拉里·鲍斯韦尔吼道。

斯科特走出来，横挡在这个怒气冲冲的男人面前。“我觉得你应该仔细斟酌一下用词，鲍斯韦尔先生。”他说，声音平静，但十分威严。鲍斯韦尔刹住了脚步。他没办法推开斯科特高大宽阔的肩膀。“艾米和她的家人收留了你的马，”斯科特回头看着艾米和卢，继续说道，“尽管她们在那次事故中痛失了亲人，但她们还是悉心照料它，不遗余力地寻找你的下落。依我看，你应该感谢她们才是，而不是威胁说要采取法律手段。”

“是的……但……”拉里·鲍斯韦尔一时语塞，脸庞染上了一层酒红色。

“应该感谢她们，正因为她们，你现在还能见到这匹马。”斯科特坚定地说，“相信我，鲍斯韦尔先生，你有充分的理由感到感激。”

有一会儿，拉里·鲍斯韦尔看起来像是要进一步争辩，但接着他的肩膀突然耷拉下来了。“你说得对。”他喃喃道。

艾米长舒了一口气。她的眼神和卢相遇了，看得出她也感到如释重负。

拉里·鲍斯韦尔摇了摇头。“我想你们做了自己该做的，你们为它遭受了令人心碎的打击，我感谢你们。”他朝斯巴达瞟了一眼，“但格里被阉改变了一切。”

艾米感到很吃惊，“为什么？”

拉里·鲍斯韦尔耸了耸肩。“它还有什么用处呢？我要经营一项事业。我不能白养一匹无用的马。”

艾米简直不敢相信自己的耳朵。“你不能就这么把它扔在这里！”她喊道。

“好吧，总之我不会带它回去。”拉里·鲍斯韦尔说，“我会付钱给你，直到你们帮它找到一个新家为止。我所能做的也就只有这些了。”

艾米看着斯巴达，它正在拼命摇头，试图挣脱泰的控制。斯巴达爱它的主人，这任谁都看得出来。尽管她不忍心离开斯巴达，但她知道斯巴达属于拉里·鲍斯韦尔。

她朝他走去。“把斯巴达带回去吧。”她恳求道。

拉里·鲍斯韦尔摇了摇头。“对不起，小姐，只能这样。”他朝斯巴达走去，“你知道我的规矩，格里，”他柔声说，“我不能坏了规矩，就算是为你也不行。”他走上前，轻轻地抚摸着马儿的额头。“不，甚至是你也不行。”他转向艾米，“我会把我的文件资料给你送来，”他说，“把代养账单寄给我就行了。”说完他挺直肩膀，大踏步朝车走去。

当他把车开走时，斯巴达发出一声高昂的嘶鸣，身子直往前拽。“放松，小伙子。”泰急忙说。

艾米看到了斯巴达脸上的沮丧，拼命逼回了涌入眼中的热泪。她克制不住对拉里·鲍斯韦尔的憎恨。他怎么能这么对待斯巴达?

“别担心，”卢平静地说，神情中充满同情，“我们会给它找到一个新家的。你等着瞧好了。”

“但它想和自己的主人在一起！”艾米喊道。

“不，卢说得对，艾米，”斯科特迅速说，“会有其他人愿意给它一个家的。它是匹好马。”

泰点点头表示赞同，他咂了咂舌头，“来吧，伙计，咱们回马厩。”

他们跟着斯巴达往院子里走去时，卢感激地看着斯科特。“谢谢你帮我们说话。如果他真要起诉，我不知道该怎么办才好。”

“他不可能赢的。”斯科特说。

“不管怎么说都要谢谢你。”卢说。

斯巴达走进马厩时卢拍了拍它的后背。“我很高兴它越来越好了。”她转向斯科特，“关于萨加富我想征求下你的意见。现在能放它到原野里去吃草吗？我每天都给它割新鲜的青草，但户外放牧还是不一样。”

“每天让它出去待几个小时应该不错，”斯科特说，“当然要在天气好的前提下。我去给它简单做个检查。”

斯科特从车里取来包，同艾米和卢一起往萨加富的马厩走去。那匹小马驹正在开心地啃着午餐时卢为它割来的、吃剩下的那点青草。

“你好吗，小伙子？”斯科特对它说，拍了拍这匹设得兰小马驹的脖子。他听了听萨加富的心跳，检查了一下它的呼吸。“它恢复得很好。”斯科特对卢说。

“你听到了吗，萨加富？你可以去围场了。”卢说。

她转向艾米。“我们现在能带它去吗？今天天气不错。”

“太好了！”艾米说。她心情稍微好转了些。

卢给萨加富套上缰绳，牵着这匹设得兰小马驹走到后排马厩后面的户外牧野。这里的青草肥美，有很多苜蓿，三三两两地散落着明黄色的毛茛。萨加富心急地竖起了耳朵。

艾米打开大门。这匹小马驹小跑着走进了原野，低下脑袋，喷了喷鼻息。

“看它！”卢说。

萨加富突然下蹲，一个打滚，惊得两只白蝴蝶翩然飞到空中。它跳了起来，摇了摇头，把头埋进香甜的青草里，开始啃食。

卢笑了。“看到它这样是不是觉得太不可思议了？”

艾米点了点头。几个星期前看到萨加富时的震惊恍如昨日。后来它躺在马厩里，气若游丝，身体虚弱得站都站不起来，饿得奄奄一息，却不肯吃东西。而现在它开开心心地在牧野里吃草。“它康复了，真是太好了。”艾米说。

“是啊，”卢表示赞同，双眼熠熠生辉。“它身上发生的改变真是令人难以置信。你知道的，我想再没有什么比看到一头病怏怏的动物恢复健康更美好的事情了，这太叫人开心了！”

“我同意。”斯科特柔声说。

“这么说这比银行的一份高薪工作要好喽？”他们往回朝房子走去时艾米故意逗她。

“当然了！”卢说，“要好不知多少倍！”

这时，艾米吃惊地看到一辆黑色的金属赛车停在房子外面，车身配着华丽的合金车轮。他们走近时驾驶座的车门开了。

“卡尔！”卢惊呼道，“你怎么来了？”

第九章

卡尔从车里走出来。“天哪，还没见过你这么跟人打招呼呢。”他说。

卢匆匆上前。“你应该明天才到啊！”

“我休了一天假。”卡尔抱住了她，“让我离开你再多一秒我都受不了。”

卢抽身退后。“卡尔，这是斯科特·特里温。”说着，她的眼神从一个人身上转到另一个人身上，“我们当地的兽医。斯科特，这是卡尔·安德森。”

卡尔向斯科特伸出手，“很高兴见到你。”

斯科特握住了他的手。“我也是。”他说。但艾米察觉到斯科特的语气很冷淡。

斯科特转向艾米，说：“我得走了。我还要去看其他客户呢。”

“好，谢谢你来。”她答道。

“再见，斯科特！”卢在他身后喊道。

斯科特的雪佛兰屁股一冒烟开走了，开动的时候车门哐当作响，一如往常。

卡尔扬起眉毛，“他就没钱买辆比那堆废铁更好的车吗？”

艾米还来不及说什么，卢就跳起来维护斯科特，“斯科特是个优秀的兽医！”她激动地喊道，“他把钱都投入到了兽医工作中，而不是购买豪华小汽车！”

艾米吃惊地看着姐姐。言辞这般激烈，这可不像卢。

他们走进房子时，卢开始跟卡尔讲萨加富的事。“它好多了，”卢说，“我们刚把它放到户外围场，太棒了，它看起来很开心！”

“那太好了。”卡尔嘴上虽这么说，但声音里透着无聊。他把包放在地上，“有没有喝的？”

艾米看到卢失望地拉长了脸。她简直是在对牛弹琴。

“当然有。”卢淡淡地说，朝冰箱走去。

艾米留卢和卡尔在屋里，又回到外面。她一边打扫马厩前的院落，一边想着怎么才能帮斯巴达找到一个新家。这时卢和卡尔走了出来。所有的马都从马厩门上往外望。卢走到斯巴达身前，递给它一块薄荷糖。但这匹枣红色的马压根不搭理她，它竖着耳朵，昂着头，只顾望着车道。

卢抚摸着它的脖子。“可怜的家伙，”她轻声说，“别担心，我们很快就能帮你找到新家的。”

卡尔皱了皱眉说，“它身上那么多伤疤，我看没戏！”

艾米本来在帮斯巴达刷洗，听他这么说手上停了下来，恼怒地瞪着他。“不是每个人都只注重外表！”她厉声说。

卡尔皱起了眉头，看样子吃惊极了。“你是说真有人不在意？”

“当然有！”艾米激烈地说。

卢急忙插进来。“我想最重要的是我们要帮它找到合适的家。”她转身开始沿着那排马走去，给它们每一个都喂了薄荷糖。

卡尔跟着她。“那芝加哥呢？”他用手臂环住她问道，“你决定好了没有？”

艾米抬起头。她看到卢在摇头，不由得松了口气。“不，还没有。”

“我不明白问题究竟出在哪里？”卡尔问。

“这是个重要的决定，卡尔，”卢回答道，“如果我真的去，就要把这里的一切都抛下。”

“噢，好啦，卢，”卡尔说，“你不是当真要在这里当一辈子村姑吧？”

“为什么不？”卢有点生气了。

“你热爱城市生活，你在那里如鱼得水。”卡尔回答道。

“别试图告诉我我是什么样的人！” 卢说。

卡尔立即让步。“对不起。”

“好吧，”卢尖锐地说，“我不喜欢人家逼迫我去做任何事。去不去芝加哥，得由我自己来决定。”

“我明白，”卡尔说，“你知道我懂的，我绝不会左右你。我尊重你，我不会做这种事。”

卢看起来怒气消了些，当卡尔再次环住她肩膀时她似乎并不反感。“我这么说只是因为我太想你和我在一起了。”他柔声细语地说。

艾米听够了，匆匆朝院子走去。

第二天早上，艾米又骑了一次斯巴达。它和昨天在训练场上表现得一样好，所以她决定把它骑出院子。

当艾米骑着马沿着赫特兰德马场后面的小路一路小跑，往山坡上走时，斯巴达很兴奋。这天天气酷热，艾米选择了一条林荫小道。阳光从树冠的缝隙斜斜地渗漏下来，在沙地上投下一块块斑驳碎影。斯巴达竖起耳朵在树林中行走。艾米能感觉到它突然变得紧张起来。她拍了拍斯巴达，它突然跳了起来。

“怎么了？”艾米说，“没事的。”

斯巴达小心翼翼地前行，鼻孔喷着气，脖子伸得老长。当走到拐角处时，树林变得更密了，挡住了头顶的阳光。斯巴达停了下来，怔怔地凝望着。艾米胃里突然翻江倒海。

树冠。

林荫隧道。

暴风雨那天晚上发生的灾难如潮水般一幕幕涌来，她被一股汹涌的浪涛吞没了。

斯巴达感觉到了艾米的恐惧，直往后退，马蹄踩在一根干树枝上，树枝“咔嚓”一声脆响，断成了两半。斯巴达惊慌地闷哼了一声，后腿直立，前蹄高高地抬到空中。

“斯巴达！”艾米倒吸一口冷气，刚好来得及把身子往前倾。斯巴达的前腿蹬出，双目圆睁，充满恐惧。它前蹄落地，但不过一瞬便再次高抬到空中，这次更高，好像

整个身子都要翻过去了。艾米的脚脱离了马镫，松开了缰绳，紧紧地抓住马鬃。

斯巴达久久保持这个姿势，对艾米来说时间像永恒那么漫长，马蹄终于轰然落下，斯巴达开始沿着林中小径疯狂地飞奔起来。

艾米绝望地一只手抓紧马鬃，另一只手去抓缰绳，千方百计想把脚踩回到马镫里。“斯巴达！吁！”她喊道。但它此时已经惊吓过度，理智全失。它转过一个弯，走进一块空地。

艾米身子在马鞍里突然一歪，这个动作同时也让缰绳朝她的方向甩来。她抓住了，然后把身子往后倒，用力拉。“别慌！别慌，小伙子。”

斯巴达停了下来，身体起伏不定，脖子被汗水濡湿了。艾米双手颤抖地抚摸着它。她刚才做了什么？稍不留神，她差点儿毁了在斯巴达身上取得的所有进展？她回头瞟了一眼那个林荫隧道。突然，笼罩斯巴达的恐惧同样揪住了她。她想离开，离那个可怕之夜的记忆越远越好。

“别慌。”艾米突然在心里清晰地听到妈妈的声音。“给马以力量，”那个声音小声说，“控制住自己的恐惧。”

艾米深吸了一口气。她的手不再颤抖。

“小傻瓜，”她对斯巴达说，声音恢复了正常，只有一丝残存的畏惧，“干吗慌里慌张的？”

斯巴达竖起了耳朵。这要下好大的决心，但艾米知道她必须这样做。她收短了缰绳，拉它掉头往树林走去。“千万别慌张，”她说，“不会有事的。”

她知道斯巴达不懂她在说什么，但她希望她的语气和坚定的夹腿动作能给它以信心。她也知道必须带斯巴达重返林荫隧道，否则它的恐惧只会越来越深。

“走。”艾米命令道。

斯巴达犹豫了。

“走！”艾米更加坚定地说。

这次斯巴达服从了她的命令，向前踏出一步，又一步。艾米压下自己心头的恐惧，当斯巴达小心翼翼地从林荫华盖下的隧道经过时，艾米拍着斯巴达的脖子，“好家伙儿！”她表扬道。

最终他们从另一端走了出来。斯巴达垂下头开始吃草。艾米叹了口气。不管斯巴达已经克服了多少心理障碍，要想重新给它安家，还有很长的一段路要走。他们要给它找一个能充分理解它的主人。

她捡起缰绳。“来吧，小伙子，”她说着招了招手，“我们回家吧。”

她骑马走进院子时，泰正从珀加索斯的马厩里出来。“它怎么样？”他问。

“不是太好，”艾米回答道。她正打算跟泰讲讲刚才发生的事，厨房的门突然开了，卢匆匆走了出来。

“艾米！”她看上去兴奋极了。“我真高兴你回来了！”

“为什么？出什么事了吗？”艾米问。

“刚才发生了一件最神奇的事情！”卢说，“我刚接到一个电话，有个男人想为他十三岁的女儿找一匹马。他听上去绝对是理想人选！”

“什么理想人选？”艾米疑惑不解地问。

卢两眼放光。“当然是对斯巴达！他们在杂志上读到了我们的相关报道，当我说我们正在为一匹马找新家时他们高兴得不得了！”

艾米瞪着卢。“你不是说真的吧？”

“他们听起来的确非常合适。”卢困惑地看着她，“我还以为你会很高兴呢。我以为你想给斯巴达找个好人家。”

“还没到时候！”艾米喊道，“它根本还没有做好准备。你再给他们打电话说不行。”

“他们已经出发了。我对他们说可以立即过来看看它。我觉得这是个千载难逢的好机会。他们甚至把拖车都开过来了。”

“卢！”艾米难以置信地喊道，“你怎么能这样？你为什么不先跟我确认一下？”

卢看上去像不知道该说什么好。“我……对不起，”

她结结巴巴地说，“但你不在家，我以为你会赞同我的决定。”

“太好了！”艾米说，“真是太好了！”她摇了摇头。“好吧，他们不能接走它。等他们到的时候你再跟他们说！”她一把抓住斯巴达的缰绳，走进了马厩。

“艾米！等一等！”泰喊道，跟了进去。

“干吗？”艾米说。

“也许这是个不错的主意。好吧，我同意你说的，斯巴达还没有做好离开的准备，但如果这家人适合它，他们就不会介意等它准备好。”

艾米冲他皱起了眉头。“你是说，我应该让他们见见斯巴达？”

“当然。”泰说。

斯巴达蹭着艾米的手。艾米拍了拍斯巴达。“它需要一个真正合适的家。”她平静地说。

“我同意，但说不定这个家庭就是。”泰说。

艾米本能地觉得不是，但她变得温和了。“好吧，”

她说，“我想他们可以看看它。”

从卢那里了解到的萨奇韦尔家的情况越多，艾米就变得越保守。

“萨奇韦尔先生说他的女儿梅勒妮已经骑了三年马，”午饭后他们等这家人到来时卢解释道，“她以前那匹小马驹现在对她来说太小了，他们想要一匹她能带去参加当地小马驹俱乐部的马。”

“听上去很理想。”和他们一起等候的卡尔在一旁帮腔。

“他们听起来没有什么经验，”艾米表示反对，“他们要把它放在哪里养？”

“在他们当地的代养马厩和马术学校里。”

“这对斯巴达来说完全不合适！”艾米喊道。“它需要一个安静的家！”

“艾米，保持冷静，给他们一个机会。”泰安慰道。

就在这时，一辆闪亮的白色宝马拖着一辆豪华拖车沿着车道徐徐驶来。车停后，一家人从车上走了下来。

“马克斯·萨奇韦尔，”那位爸爸自我介绍道，他伸出手，大踏步朝卢走来，“很高兴能见到你。”

卢介绍了一下自己、艾米、卡尔和泰。

“我叫南希，”萨奇韦尔夫人说。她穿着红色露趾凉鞋，小心翼翼地从砾石路上走过来，“这是梅勒妮，我们的女儿。”

艾米上下打量着梅勒妮·萨奇韦尔。她比艾米小，穿着一尘不染的马裤和长长的黑色马靴，一头精致的红色卷发。“嗨，”她爽朗地和艾米打招呼，“我在杂志上看到过你们的报道。当我说我要到这里来时我的朋友们都不相信！她们嫉妒死了！”

“自从看到那篇文章，她就一直想从你这里得到一匹马，”马克斯·萨奇韦尔说，饱含深情地冲女儿微笑，“是不是，小南瓜？”

梅勒妮不理会自己的爸爸，迫不及待地四下张望。“我能看看那匹马吗？”她急切地说。

“它在那边。”艾米说着指向正从马厩门上往外探头探脑的斯巴达。

“那匹有伤疤的吗？”梅勒妮问。艾米点了点头。“哇！它实在是太棒了！”艾米来不及阻止，梅勒妮就已经朝斯巴达的马厩跑去。斯巴达受惊地闷哼了一声，闪回到自己的马厩里。“它干吗那么大反应？”梅勒妮喊道。她停在那里一动不动，看起来很吃惊。

“因为你在跑！”艾米说道，“它是一匹营救马！很容易紧张。”

梅勒妮看起来很不好意思。“对不起，派博不介意我跑的。它对什么都不紧张。”

“嗯，斯巴达会，”艾米刻薄地说，“它经历过很多不幸。”

梅勒妮从门上往里看。“瞧它那些伤疤。”梅勒妮说。

有一会儿，艾米想，不知道这伤疤会不会打消她想要它的念头，但她的希望很快就破灭了。梅勒妮一脸坚决地转过身来。“我想要它，爸爸。”

马克斯·萨奇韦尔拿出支票簿。他冲卢咧嘴一笑。“梅勒妮向来知道自己想要什么，”他说，“幸好我们把拖车也带来了，对不对？现在听我说，你跟我说你想让我为赫特兰德马场捐赠一笔钱。你想要多少？”

艾米再也看不下去了。如果卢不打算开口，那么她来。“你不能带走它！”她脱口而出，“它还没有准备好……”

马克斯·萨奇韦尔打断了她。“还没有准备好？”他迅速看向卢，“但你在电话里说这匹马正在寻找新家。”

卢的脸刷地红了，“对不起……我似乎嘴太快了。”

卡尔油滑地插了一嘴，“一点小误会而已。如果你女儿想要这匹马，你可以先付一部分定金把事情定下来，萨奇韦尔先生。”

艾米愤怒地瞪着他。他怎么敢说先付定金就能保证他们得到斯巴达！她猛地转身面向卢，却发现卢同样愤怒。

“付定金也不能确保得到它！”卢竭力保持声音平

稳，“只有在我们确定给斯巴达找到了合适的家后才会让它走。”她转向萨奇韦尔，接下来的话令艾米很吃惊，“对不起，真抱歉，我没有在电话里把事情说清楚。我们在给马选择新家时恪守着非常非常慎重的原则。不是人们来随便挑中一匹马就行了，尤其是像斯巴达这样遭受过严重创伤的马。它需要一个安静的家，一个有经验的主人。”

马克斯·萨奇韦尔看起来很生气。“你是说，你不打算把这匹马给我女儿？”

卢摇了摇头，“是的，恐怕不行。”她飞快地冲艾米笑了笑，然后转向梅勒妮，眼神充满同情，“请试着理解，梅勒妮。我不是有意对你不公平，我只是觉得斯巴达对你来说不合适。但我们还有其他的马，你也许会感兴趣。有……”

“你已经浪费了我足够多的时间，弗莱明小姐。”马克斯·萨奇韦尔打断道，“我们立刻就走！”

“稍等，爸爸！” 梅勒妮突然喊道，“我想要看看其他马。”

萨奇韦尔夫妇和艾米惊奇地看着她。艾米曾无比确信：当她得知她不能得到斯巴达时肯定会气冲冲地离开，但她似乎看错了这个女孩。

梅勒妮走到父亲跟前。“她们说得对，爸爸，”她平静地说，“我想要的也许不是一匹让我时时都要小心翼翼的马。也许有其他不那么紧张的。”

“实际上我们有好几匹，”卢说，看样子像不相信自己的耳朵，“是不是，艾米？”

艾米点了点头。“你想跟我去看一看吗？”她邀请梅勒妮，“也许你会喜欢科珀，它一点儿都不紧张，它最适合去一个有许多活动可以参加的家庭。”

“我能看看它吗？”梅勒妮急切地问。

“当然，”艾米回答道，“来吧，”她领着梅勒妮朝院子里走去。

一个小时后，梅勒妮彻底爱上了科珀。当艾米看着这个小女孩骑着马在训练场转来转去时，她露出了欣慰的笑容。科珀是一匹年轻的马，在赫特兰德马场待了三个月。它需要一个有趣的、充满活力的家，艾米确信梅勒妮能好好照看它。

“你觉得怎么样？”泰低声问她。

“绝配。”艾米告诉他。

“我也这么认为。”泰表示赞同，微笑地看着她。

梅勒妮翻身下马，帮艾米取下科珀身上的马具后，萨奇韦尔夫妇约定，下周抽个时间让泰过去，帮忙检查一下梅勒妮安置那匹马的代养院子。

“再见，科珀。”梅勒妮说着在这匹栗色马的鼻子上吻了吻，“我们很快就能再见面了。”

艾米目送萨奇韦尔一家人离开后，朝斯巴达的马厩走去。她抚摸着它枣红色的脑袋。她真心为科珀感到高兴，但至于怎样才能给斯巴达找到一个合适的家，她还是没有一点头绪。

那天剩下的时间，卢在卡尔身边都很冷淡。她似乎不能原谅他干预萨奇韦尔一家人的事。然而，当他要回曼哈顿时，艾米注意到她的态度软了下来。

“我会想你的。”卡尔把包放上车时卢依依不舍地说。

卡尔用一只手臂环绕着她的肩膀，“向我保证这周你会认真考虑去芝加哥的事。”

“好，”卢说，抬头看着他，“我会的。”

他们吻别后卡尔上了车。“周五见！”他说着发动了小汽车，“别光忙着准备舞会，把自己累坏了。”

艾米看着卢站在那儿冲卡尔挥手，一直到卡尔的赛车消失在车道上。

她不禁感到失望。那天下午看到卢那么挺她，为斯巴达的事对卡尔大动肝火，她开始真心希望卢会拒绝她男朋友的提议，永远留在赫特兰德马场。但现在看卢的神情，她感觉不那么肯定了。

第十章

第二天，艾米把斯巴达牵出来，又去小路上跑了一趟，特意专拣那些它有信心的小路走。斯巴达享受着脚下的沙地和青草，不停地拉扯着缰绳，兴奋地腾跃。前方的路很长，草长莺飞。艾米身子往前倾，敦促它慢跑。

斯巴达一跨步好似要一跃千里。他们前方，一棵树横挡在路上。艾米抓紧了缰绳。“别慌，小伙子。”她说，有意让它放慢脚步变为小跑，绕过树干。

斯巴达甩了甩头。

艾米感到体内涌过一阵兴奋。斯巴达想要跳过去。

她知道对斯巴达要慢慢来，但这根树干实在太诱人了。尽管那里没有人，她还是小心地环视了一下四周，收紧了缰绳，把它转向树干较低的那端。

斯巴达开始慢跑。艾米把膝盖插进马鞍里。他们距离树干只有三步之遥了，二、一，随着一股强大的力量，斯巴达跃入空中，轻松跨过了那根横木，超过了近一米。

“哇！”艾米惊叹了一声，拍了拍它的脖子。斯巴达喷了喷鼻息，垂下脑袋，欣喜若狂地跃起。艾米哈哈大笑，拉起它的脑袋，不让它这么做。斯巴达真是得意极了！

她拍了斯巴达一会儿，他们本应继续前进，但她却让斯巴达掉头，再次往树干跑去。这次她拉着斯巴达朝树干最高那部分跑去。当它急切地往前冲时，她的心跳到了嗓子眼。她这是在干什么？但接着，她感到它动作流畅而有力地慢跑起来，她的疑虑顿时消失得无影无踪。她稳坐在马鞍里。树干出现在他们眼前，一眨眼他们就跳过去了。

“好样的，小伙子！”艾米欣喜若狂地喊道。她一遍

又一遍地拍打着它的脖子，浑身洋溢着兴奋。斯巴达看起来天生就是个障碍赛高手。

艾米没在小路上待太久。她急着赶回去把斯巴达能跳跃障碍的好消息告诉泰。

“它真厉害！”她一到家就找到泰忙不迭地告诉他，“它两次都飞了过去！”

“你明天应该在训练场上再试试。”泰说。

“这主意太棒了！”艾米说，一时高兴得昏了头。

第二天，在平地上训练完斯巴达后，艾米把它拴到一根柱子上，在旁边竖起了一根小小的横杆。她翻身上马时感到一丝紧张。也许昨天的成功是侥幸。可斯巴达轻而易举就跳了过去，艾米升高横杆，这时泰刚好赶来观看。

“哇！”当看到斯巴达高出半米越过横杆时他忍不住惊呼。

“感觉它会越跳越高，”艾米双眼炯炯有神地说，“它太厉害了！”

从此，每次艾米骑斯巴达，她都会设置障碍。星期五下午，她让泰帮她设置了一整套障碍。“出发！”她训练了斯巴达一会儿后对它发出命令。

当她把斯巴达转向第一个障碍时它抬起了头，但很快就形成了完美的节奏。斯巴达越过了一个又一个障碍，它显然乐在其中。

当他们接近最后一个障碍时，艾米突然意识到她只在另一匹马身上感受过这种天赋，那就是珀加索斯。她内心洋溢着兴奋。斯巴达比珀加索斯小，难道某一天它就不能成为一名优秀的障碍赛高手吗?

当她们跳过最后一道障碍时，泰高兴得鼓起掌来。“这太神奇了！”他说。

“是啊！”艾米回答道，双颊放光。她环视着那些障碍，“我想带它去参赛——去完成一套像样的障碍赛。我敢说它一定表现抢眼！”

“嗯，我觉得它还没有做好参赛的准备，但星期天草原赛场有一场比赛，”泰说，“你可以带它去，让它感受一下气氛。”

艾米凝视着泰，“太好了！”艾米说，“那里有个训练场，可以付费去跑一轮障碍赛。这对斯巴达来说会是非凡的体验。”

“好主意。”泰说。

艾米的脸突然沉下来。“外公肯定不会开车送我去，那天刚好是舞会结束后的第二天，他要忙着帮卢清理。”

“如果你想，我愿意开车送你去。”泰主动提出。

“真的吗？”艾米问，“但那天你休息。”

泰咧嘴笑了。“我想我能应付得了。毕竟，这是件好事。谁猜得到呢？如果它真的障碍赛成绩出众，等它准备好的时候，我们也许能给它找个好人家呢。”

艾米点了点头，感到一阵眩晕。她就要带斯巴达去参加比赛了！就在几天前它甚至都不让她靠近，想起来真是不可思议。

艾米把斯巴达牵回马厩后走到马具室去清洗马具。她一干完就又回来看它。斯巴达正躺在马厩里，鼻口靠在干净的麦秸上，腿蜷缩在身下，看上去像条狗。艾米笑了，轻轻打开门。斯巴达看着她，但没有站起来。

“在休息是吗？”她喃喃道，跪倒在它身旁的麦秸里，抚摸着它的脖子。斯巴达喷着鼻息，把鼻口放在她的膝盖上。她把手指伸进它的马鬃里按摩。斯巴达放松下来，眼睛半闭半合，头枕靠在她双腿上，嘴巴略微张开。

艾米闭目休息了一会儿，做起了白日梦。她想象斯巴达在某个大型比赛中飞越一个又一个障碍，它的伤疤无关紧要了，它在各种比赛中不断取得胜利，人人都为它欢呼。它变得自信、开心。

她任由最秘密的梦想浮出水面：把斯巴达留在赫特兰德马场，和她在一起。尽管艾米知道送到赫特兰德马场来的马最后都是要重新安家的，但斯巴达不同。在她的想象中，他们绕着表演场地奔驰，一条蓝丝带在斯巴达的马鞍上飞舞。有一天，他们也许甚至能像曾经的爸爸和珀加索斯那样成为天衣无缝的好搭档。

她睁开双眼。“会的，”她小声说，“你和我，斯巴达。我想我们命中注定要在一起。我比任何人都懂你。”

斯巴达的鼻孔透出轻柔的呼吸。

“你和我在一起会开心的，”艾米说，亲吻着它的脑袋，“我会让你开心的。”一阵巨大的爱意袭来，她用双臂环住了它的脖子，抱紧了它。

艾米一边拥抱它，一边直视着它的眼睛。斯巴达深棕色的眼眸饱含信任，但里面缺了点什么——是爱。

艾米的手臂松了。有人说马不懂爱，她知道那不对。当她看向珀加索斯或桑旦斯的眼睛时，她能从中读到爱意，从内心深处涌上来的诚挚、浓烈的爱意。但斯巴达的双眼里含着一丝忧伤，就算她全身心地爱着它，那丝忧伤也不曾离去。

斯巴达亲昵地蹭着她，但在那一刻，她意识到她的梦将永远只是一个梦。她不能让它的双眼重新焕发光彩。面对痛苦的事实，她的喉咙哽住了。斯巴达只是暂时属于她——它是借来的，不能永久保留。

她站起身，慢慢走出马厩。

“艾米！艾米！”

艾米抬起头。车道上有个人慢慢跑来，黑色的卷发不停地跳动着，是苏拉娅！

“苏拉娅！”艾米惊叫道。她满脑子都是斯巴达，都忘记了今天是苏拉娅回来的日子。她把烦恼统统抛诸脑后，从院子里跑过去，迎接自己的朋友。“你回来啦？”

“你都把我忘了。”苏拉娅咧嘴笑道，两人紧紧拥抱在一起。她们分开后，苏拉娅四下张望。“哈，回来真好。”她的眼睛熠熠生辉，“我这么说当然不是说我不喜欢夏令营。”

艾米咧嘴笑了。“听上去你是太喜欢了！快跟我讲讲你在信里一再提到的克里斯是何方神圣？”

“克里斯？”苏拉娅喊道，“艾米，你太过时了！过去两周和我约会的是凯尔。”她摇摇头，“我想咱们俩得好好聊聊了。”

一个小时，一包巧克力，接着是美洲山核桃饼干，艾米和苏拉娅开始滔滔不绝地聊起彼此的近况。苏拉娅在一天晚上参加完骑马夏令营的烧烤会后，就开始和一个叫凯尔的男孩约会，但他们的家相距好几个小时车程，他们决定回家后就不再继续了。

“他不错，”苏拉娅给艾米看照片时有点儿惆怅，“他会给我写信的。”

艾米抱住苏拉娅。“你会在这里找到自己喜欢的人的。”她看到苏拉娅半信半疑，“相信我，准没错！”

“这里稍微像样一点儿的男孩要么名草有主，要么就是疯狂地爱着别人。”苏拉娅说。她凑近艾米，“说说看，你和马特怎么样了？”

艾米摇了摇头。“噢，还是老样子。我们只是好朋友。”

“他很快就会和其他女孩约会的。”苏拉娅警告她。

“也许是你。”艾米故意逗她。

“这很有可能噢！”苏拉娅说，“但我想更有可能是艾什莉·格兰特，她盯上他好几年了。”

“好吧，她明天会过来参加牲口棚舞会。”艾米说着拉长了脸，“我敢说她肯定会穿得花枝招展，吸引马特的眼球。”

“那衣服也一定贵得惊人。”苏拉娅说着在艾米的床上换了个更舒服的姿势，“那舞会的准备工作进行得怎么样了？还有很多要做的吗？”

“很多，”艾米说，“午餐时间会运来一大堆东西，我们要将它们分门别类，有数不清的餐巾要折叠。明天也会一样忙！”

“我会帮你的。”苏拉娅主动提出，“这实在是个好主意——我是说开舞会。”

“是啊，现在我也这么认为，”艾米承认，“我起初并不热心，但有很多人购买奖券。卢说这是筹钱和召集妈妈朋友的好方法，我想她是对的。”

苏拉娅狡黠地看着艾米。她们做了这么长时间的朋友，她早就知道艾米和卢的关系不好。“你们俩相处得怎么样？”

艾米略一思忖。“好多了，”她说，“我们一直争吵不休，但在过去这几天，我们俩的关系有很大改善。”

“你上封信里说卢在考虑去芝加哥。”苏拉娅说，“顺便说一句，我可不可以提醒你一下，我们说好一个星期至少写三封信的，但实际上我十天都收不到你一封信。”

“我知道。抱歉！这里实在太忙了。”艾米说着摇了摇头，“卢还在考虑去芝加哥。我不想让她去，但她那么喜欢卡尔，我觉得她也许会去。”

“你还是不喜欢他？”

艾米叹气道，“这让我很不好受，因为我知道他能让卢开心……他这个人有点儿……”说到这里艾米突然听到一辆车停在了屋外。她从窗户往外望去，“说曹操曹操就到。”

“来吧，我想去见见他。”苏拉娅说着跳起来往门口走去。

艾米紧随其后。“你不是说真的吧，你肯定不是说真的。”

她们一下楼卡尔就走了进来。“我看到你们有邮件到了，”卡尔说着把一沓信递给了杰克·巴特利特，“所以我顺便带进来了。”

“谢谢，卡尔。”外公说，“旅途愉快吗？”

“挺好的，谢谢！”卡尔回答道。他冲艾米和苏拉娅点了点头。“嗨，那边的两个小姑娘。”

“嗨！”苏拉娅礼貌地答道，卡尔的眼神一挪开她就做了个呕吐的动作。

艾米点了点头。小姑娘！他以为自己多大了？

苏拉娅冲她微笑。“我要回去了，我向妈妈保证过不会待太久，但我明天早上会过来帮忙的。”

“好的，”艾米说，和她一起朝门走去，“明天见。你回来真是太好了！”

她看着苏拉娅消失在车道上，然后回到厨房。卡尔正搂着卢。

“我们要做的事情太多了！”卢对他说，“我很高兴你来了。”

“别担心，由你负责肯定会一举成功。”卡尔油嘴滑舌地说，“总共会来多少人？”

“最后一次统计是82人。”卢说。

卡尔漫不经心地看着邮件。“我猜今天还会有更多的回复。”

卢拿起那堆邮件翻阅起来。“是的，看起来会。”艾米正打算上楼去，突然听到卢的声音变了。“嘿，这是什么？”卢举起一封信，皱了皱眉。

“有什么有趣的吗？”卡尔说，从她的肩膀上看过去。

“是爱普斯顿公司寄来的。”卢说，手里拿着一个漂亮的乳白色信封，信封上盖着饰章，“他们干吗给我写信？”

“嗯，打开看看不就知道了。”卡尔说。

艾米扫了他一眼。卡尔唇角玩味着一抹笑意。

卢撕开信封，拿出信。她往下看，眼睛睁大了。她突然惊呼了一声，“他们打算聘用我！”她喊道，抬起了头，“很不错的工作，是在芝加哥。”卢张开双臂，搂住了卡尔的脖子，“是在芝加哥！”

“什么？这太不可思议了！”卡尔喊道，抱紧了她，“这是命运的安排，卢。很显然，我们注定要在芝加哥相聚。想想看吧——我们可以一起买套公寓，开始新的生活！”

“噢，卡尔！”卢喊道。

“恭喜你，卢。”外公静静地说。

艾米看到了他眼中的哀伤。

卢似乎也看出来了，她顿时僵住了，兴奋之情迅速消失殆尽。“嗯，当然了，我还没有决定好要不要接受。”她匆忙说道，赶紧把信收进了口袋里，眼神十分尴尬地从外公身上转到艾米身上。

“你会接受吗？”卡尔难以置信地凝视着她，“卢，这可是一辈子难得的机会！你不会告诉我你不打算接受吧？”

“这个决定很重大。”卢防备地说。

“卢！”卡尔恼怒地说。

“求你了，卡尔，”卢说，“我需要考虑一下。”

卡尔盯着她看了一会儿，脸绷紧了。他突然拿起自己的包。“我去换衣服。”他贸然地说，大踏步走出了厨房。

卢在餐桌边坐下。“噢，外公，”她叹了口气，抬起头，艾米看到了她眼神中的困惑，“我该怎么办？”

“你想怎么做？”外公说，在她对面坐下了。

“我只是……不知道。”

“别接受，卢，留在这里和我们在一起。”艾米坐在她身旁柔声说道。

“我开始喜欢上这个地方了，但我也爱卡尔，”卢说着摇了摇头，“不管怎么说，你并不需要我。”

“我们需要！”艾米冲口而出。

“不，艾米，你不需要。”卢说，“我老是犯错，比如随便换饲料供应商，马还没有准备好就给它们找新家。你不听我的想法，我日子很难熬。我习惯了受人尊敬，习惯了人家拿我的想法当回事。”

“我会听你的，我们的确需要你。”艾米绝望地说。

卢心不在焉地四下打量。“求您了，外公，”她呻吟道，“告诉我该怎么做。”

“我不能，宝贝儿，” 杰克 · 巴特利特说着摇了摇头，“这个决定得由你自己来做。”

卢叹息道，“我知道，但怎么决定呢？”

外公走过来亲吻着她的头，“顺着自己的心意就好了，卢，”他柔声说，“按照自己的心意。”

第十一章

“我要是再看到一张红餐巾就要抓狂了！”苏拉娅把一套餐具包进最后一张餐巾里，大声嚷嚷道，“砰”的一声把它放在桌子上。“我们还需要做什么？”

艾米正在拆一箱玻璃杯，她抬起头。“还需要多摆一张桌子，”她说，“然后要把桌布全铺上。”

她正说着，马特搬着最后一张桌子从门口走了进来。“这个要放哪里？”他问。

“那边。”艾米说着指着一块儿空地，“谢谢你，马特。”

“食物准备得怎么样了？”马特边摆桌子边问。

“嗯，外公昨天买好了做烤肉的肉，他和卢做了一大堆沙拉和甜点”。艾米说。卢负责舞会，而卡尔去买晚上喝的饮品去了。她想着第二天的比赛。她没有机会给斯巴达梳洗了。不管今晚多晚上床，明天她要一大早起来给它做准备。

“那么接下来呢？”马特说着走了过来。

“如果你能把那些盘子拆开，”艾米指着几箱租来的器皿，“我就去看看卡尔是不是把饮料买回来了。”

她往厨房走去。“卡尔回来了吗？”

“刚刚回来。”卢抬起头说，她正在切一个西红柿，“他还在外面。”

艾米走出厨房。卡尔正倚靠在小汽车上，背对着她。艾米意识到他在打手机。她轻手轻脚地走过去打算卸货，不想打扰他。

她突然听到卡尔哈哈大笑。“她当然不知道，”他说，“她没有起一丝疑心。”艾米不想偷听，但他接下来的话让她怔住了。“不，不。你对她的看法完全错了。”他说，“卢不是天真，她只是信任我。”听到姐姐的名字艾米身子一僵。卡尔摇了摇头，“卢的问题是她还没有意识到什么能让她开心。我只是把她往正确的方向推了一把——帮命运一把，如果你喜欢我这个比喻。”

艾米开始慢慢往后退。她心乱如麻。听上去，芝加哥这份工作邀请函是个骗局！卡尔知道，但他装糊涂。艾米突然想起昨天他敦促卢去看邮件的样子。她要把知道的告诉卢！

就在这时，她的脚被一块石头绊了一下，她跌倒了。卡尔回头一看。“艾米！”他喊道。

“呃……嗨，”艾米说，“我过来帮忙搬饮料。”

卡尔看上去明显松了一口气。“噢，好的。”他对着手机说，“我稍后再跟你说，布雷特。再见。”

艾米一直在帮卡尔卸饮料，但她心急如焚，迫不及待地想要离开去找卢，把她怀疑的真相告诉她。但他们卸完后，她失去了和姐姐单独谈话的机会，因为卡尔跟着她走进了厨房。

不巧的是，那一整天卢都忙得不可开交，艾米找不到一会儿空闲不受打扰地跟她私下里谈谈。最后她只能把自己凑巧听到的秘密压在心底，决定等第二天家里更安静，姐姐没这么大压力的时候再告诉她。

六点时，牲口棚舞会准备得差不多了。装饰完成了，烤肉架也点着了。外公做了个特别的打孔器，奖券也码好了，随时准备出售。

“该去换衣服了！”卢从厨房里跑出来喊道，“很快参加舞会的人就要到了！”

马特回家去了，但苏拉娅已经把衣服带过来了，所以她能和艾米一块儿去换衣服。

“你觉得艾什莉会穿什么？”她坐在艾米的镜子前，梳理着她乌黑的卷发。

“袒胸露肩的。”艾米说。她朝镜子里看去，盘起头发来。“你觉得怎么样好——盘起来，还是放下来？”

“盘起来！”苏拉娅说。她站起身，帮艾米绑好她那厚密的浅棕色头发。“好了！”她说着拨下几缕发丝，这样更衬艾米的脸庞。

“嗯，我喜欢。”艾米高兴地说。她从衣柜里拿出一条深蓝色的牛仔马裤穿上了。这条裤子是她妈妈一年前给她买的。她很少有机会穿，幸运的是居然还合身，从臀部到小腿都包得紧紧的，勾勒出她曼妙的身材。

“哇！你穿成这样，到时候马特的手一刻都不能离开你了！”艾米对着镜子看时，苏拉娅咯咯笑起来。她穿上了一条黑色的牛仔裤，上衣是银色金属物编织成的吊带，“好看吗？”她摆了个姿势问。

“美极了！”艾米说，“好啦！我们走吧！”

她们匆匆下了楼梯，走进厨房。外公、卡尔和泰都到齐了。

“你们俩看起来漂亮极了！”外公夸赞道。

“谢谢！”苏拉娅说。

艾米看着泰。他看上去黝黑英俊，格子花纹的衬衣凸显出他健壮的肩膀。

“哇！”他赞叹道，上下打量着艾米，“你看上去美呆了！”

艾米逗趣地扬起了眉毛，“你的意思是说我平时没这么美？”

“和你平时穿工装牛仔服的样子天差地别。”泰评论道，他咧开嘴，笑着看着她。“真是美若天仙。”

“谢谢！”她微笑道，“你也一样。”他们的眼神相会了。艾米赶紧别开眼神，突然感到一阵心慌。

卢从牲口棚走进厨房。“但愿大家都会到。”但她看上去有点忧心忡忡的样子。

杰克·巴特利特打开冰箱，拿出一坛子潘趣酒 。“我们先干一杯！”他拿出一托盘酒杯喊道。他把酒杯都倒满酒，递给各位。“为了舞会的成功！”

艾米看着自己的姐姐。“为卢！”她冲动地喊道。

“为卢！”大家都随声附和，“哐当”一声，酒杯碰到了一起。

卢环视大家，开心地笑道，“谢谢！”

“对了，”杰克·巴特利特说，“我们不能这么站在这里。我们得把小吃端出去，把饮料满上，还要引导大家往哪里停车。”

泰喝完了自己那杯，走出去处理停车的事。艾米开始拆开一袋袋薯条，苏拉娅和杰克·巴特利特搬饮料去了。

卢正要跟着他们去忙活，这时卡尔挽住了她的胳膊。“稍等，”他说，拿起酒杯，重新满上潘趣酒，“我们再来单独庆祝一下。”

艾米抬头瞟了他一眼。

“庆祝什么？”卢好奇地问。

卡尔举起酒杯。“为了去芝加哥啊！”

艾米看到卢犹豫了，往嘴边递去的酒杯停在了半路。“我还没决定好要不要去呢，卡尔。”

话跳到艾米嘴边，但她咽了下去。

“卢！”卡尔喊道，“这份工作无可挑剔，再没有比这更好的机会让我们在一起了。你怎么还犹豫不决呢？”

“这是个艰难的决定，”卢说，“你肯定也能看得出来，我需要更多的时间思考。”

“你没有时间了！”卡尔说，声音很激动，“他们周二就要答复。”

“我知道！我知道！”卢突然停住了。艾米看到她皱起了眉头。“你怎么知道他们周二要答复？”她问卡尔，“我没有告诉你这个。”

卡尔顿时愣住了，但他很快就恢复了镇定。“你当然告诉过我，”他说，一只手搭在她胳膊上，“你肯定是忘记了。”

“我没有。”卢喊道，“我不想告诉你是怕你再次给我施加压力。你是怎么知道的？”她突然后退了一步，眼睛睁大了，脸变得煞白。“这是你一手安排的，对不对？”她小声说，“这份工作的事从头至尾你都知道。”

卡尔看上去有一会儿像是要抵赖，但他没有，他走上前。“好吧，就算是我做的又如何？”他说，“是的，好吧，我安排的，卢。我想让你跟我一起走，我们的朋友希望你跟我一起走。”

“你想让我去是因为如果我不去，你担心我们的朋友会怎么想？”卢惊恐地瞪着他。

“不……我……”卡尔急忙改变了策略，“卢，我只是想给你找份好工作。”他说着抓住了她的手，“这有那么十恶不赦吗？”

“你试图摆布我！欺骗我！”卢喊道，飞快地抽离了他的手。

“卢，听我说……”

“不！”卢喊道，“我信任你，卡尔！你怎么能这么对我？”

就在这时，后门开了，斯科特和马特走了进来。他们本想打招呼的，目睹这一幕，话凝固在了唇上。

“卢……”卡尔走向前。

卢一把推开他。“别碰我！”她轻声呵斥道，“从我的视线里消失！我不会跟你去芝加哥的。我再也不想看到你！”

“但……”

“滚，卡尔！”卢吼道，“滚！”吼完后她泪流满面，跑出了厨房。

艾米站起来，但她还来不及说什么，斯科特已经走上前去。

“你听清卢说的话了，”斯科特冷冰冰地对卡尔说，“我想你最好还是离开。”

有片刻，卡尔看起来像要揍斯科特，但他只是后退了一步。“我去拿自己的行李！”他厉声说，然后转身大踏步朝楼上走去。

斯科特眺望着窗外。“艾米！快！客人来了！”

艾米慌张地望着他，“卢怎么办？”

“你快去安慰她，”斯科特说，“这里的事由马特和我来处理。”

艾米往楼上跑去时，卡尔从她身边挤过，一边走一边把东西往包里塞。

“再见。”艾米嘟囔道。

她匆匆走到卢的卧室。她姐姐正扑倒在床上。

“噢，艾米！”她啜泣着抬起头，“我要怎么办？”她把头埋在掌心。

“你认为怎么正确就怎么做，”艾米轻轻地说，“你真想卡尔独自去芝加哥吗？”

卢转向自己的妹妹。“我只知道在发生了过去几个月所有那些事情之后……我需要身边有信得过的人。”

艾米跪倒在床边的地板上，抚摸着卢的头发。“那么，我想你是对的，”她说，“你最好离开他。”

“他怎么能那么对我？”卢喊道，“我以为他尊重我，我以为他爱我。”

艾米抱住她。“噢，卢，卢，我们爱你！”她轻柔地抚摸着她的长发，“无论你怎么决定，外公和我都会支持你。无论你是留在这里还是去纽约或者芝加哥，这里永远都是你的家。”

卢哭得更凶了。

“听我说，别担心舞会的事，”艾米急促而含糊地说，“我们会处理好的。斯科特正在招呼客人。一切都在

掌控之中。”

卢坐了起来，眼泪从脸颊上滚落。“客人已经到了吗？”

艾米点了点头。“但别担心，”她飞快地说，“我们能应付得了。你就待在这里吧，想待多久就待多久。”

卢一把擦干眼泪。“我是组织者，我应该到场。”

“卢……”

“我没事的。”她吸了吸鼻子，站起身，抚平裙子。

艾米心中充满敬佩。卢是如此坚强，她想。她知道，如果这种情况发生在自己身上，她会整晚缩在自己的房间，哭到死。而现在卢已经在照镜子整妆了。

她最终挺直腰背，内心的动荡不安在她脸上留下的唯一痕迹只剩下眼里泪水洗过的光彩。“来吧，”她深吸了一口气，伸手去拉艾米。“我们的朋友在等了。”

艾米忙着给客人倒酒，打招呼。她一边忙活一边偷偷留意卢，确保她没事。而实际上她的担心是多余的。卢满脸微笑，热情地招呼着客人，给他们拿饮料，带他们去餐桌，泰正在餐桌前卖奖券。

格兰特一家到了，艾什莉穿着一条露背绿色短裙，美艳惊人。

穿成这样还真适合来参加牲口棚舞会，艾米嘲讽地想。

“你好，艾米。”艾什莉冷冰冰地说。

“嗨。”艾米短促答道。

艾什莉四下张望，她完美的眉毛吃惊地挑起，“你倒请来了不少人嘛。”

“我们的本意如此。”艾米反驳道，但艾什莉根本没在听。她看到了马特。

“马特！”她喊道。

马特回头一看，走了过来。“嗨，艾什莉。”他愉快地说。

“嗨！”艾什莉说着挽住了他的胳膊，“你知道饮料在哪里吗？”

“当然，”马特答道，显然很吃惊，“来吧，我带你去。”

艾米好笑地摇了摇头，匆忙走开了。即便是艾什莉的到来也不会搅了这个美好的夜晚。

牲口棚很快就人满为患。人声鼎沸，觥筹交错。当音乐响起时，人们开始往舞池走去。艾米意识到卢这个想法真是太妙了。这是筹钱的绝佳方式！好像每个人都过得很开心，能看到妈妈的所有朋友真是太好了。艾米想：妈妈该为她的大女儿感到多么自豪啊！

她在人群中寻找卢的身影，看到她和外公以及斯科特站在牲口棚的入口处。早先脸上留下的泪痕已经彻底不见了。斯科特不知在说什么，卢哈哈大笑地看着他，眼神熠熠生辉。看到客人们那么开心，她看上去是发自内心地高兴。

艾米匆匆走过去。“卢！真是太成功了，每个人都很开心。”

“确实如此。”斯科特表示赞同，“祝贺你，卢！”

“谢谢，”卢微笑道，“谢谢你们的帮助。”

“对不起，我曾经怀疑过你。”艾米冲动地说。

卢看上去对她的道歉有点儿吃惊，“谢谢，艾米。”

“还有……”艾米期期艾艾，感觉很难说出口，“还有……我觉得你对赫特兰德马场的其他设想也许也可行。你知道的，就是宣传手册那类的。”

“真的吗？”卢凝视着她，“你真愿意让我试试？”

艾米点了点头。“我发现当涉及到钱的时候你最在行。”她看着自己的姐姐，情不自禁地说，“听我说，我先前不听你的真是愚蠢。请告诉我，你会留下来，卢，我保证从今往后我都会认真看待你的想法。别回城里去，你的家在这里，我们需要你留下来。”

卢看起来既吃惊又开心，“你说真的？”

“当然啦！”艾米喊道。

卢看着外公、斯科特和艾米。“好吧，”她说，笑容顿时在她脸上荡漾开来，“我会留下来！”

第十二章

凌晨时分，最后一拨客人终于离去了，艾米瘫倒在床上。她关灯时瞟了一眼闹钟，两点了！她只能睡四个小时就又要起来给斯巴达梳洗，为比赛做准备。“噢，这可真是太好了。”她呻吟道，一翻身就睡着了。

六点时，艾米痛苦地爬起床，趺趺撞撞地朝院子走去。先给其他马喂食，再来照顾斯巴达。喝完几杯咖啡后，她慢慢驱走了朦胧的睡意，等泰八点半赶到时她精神头更足了。“你今天将会表现得非常出色，”她一边绑起斯巴达的尾巴，以免它在拖车里遭罪，一边对它说。“我们会让大家看看你是多么与众不同。”

斯巴达扭头看着她，轻轻喷着鼻息，好像听懂了。

他们赶到比赛场地时，泰将拖车停在赛场边缘，远离跑道和观众席的喧嚣。斯巴达往后退，从斜板上走下来，看起来很兴奋，耳朵竖起，鼻孔鼓胀。

“没事的，”艾米对它说，“只不过是赛场。你还记得吗，小伙子？”

泰弯腰去解保护斯巴达腿部的绑带。“我带它去溜一圈，”泰说。绑带堆成了一堆，最后他解开了它尾巴上的绑带。“这有助于它平静下来。”

艾米点了点头。她也有同样的想法。“来吧。”她说，咂了咂舌头。“我们出发！”

斯巴达脖子拱起，在她身旁跳跃。艾米猜它肯定记得和前任主人来参赛的情景。“很快你就能再次参赛了，”她对斯巴达说，“不是参加平地上的无聊形体赛，而是障碍赛，到时候，人人都能看到你有多出众了。”

就在这时，一名骑手径直从他们走的那条路上横冲过来，距离他们只有几米远。斯巴达吃惊地躲闪。“别慌张，小伙子！”艾米喊道。

她猛地转过身。

是艾什莉·格兰特，她正跨腿坐在一匹枣红色的小马驹上，洋洋自得，她的着装完美无瑕，她的小马驹闪亮夺目。即使昨晚熬夜，艾什莉看起来还是精神抖擞。

“你这样横冲直撞，任何马都会紧张的！”艾米喊道。

“淡定，淡定。”艾什莉嘲笑道。

艾米憎恶地摇了摇头，牵着斯巴达继续往前走。她用手上下抚摸着它的脖子，让它平静下来。

然而，艾什莉像牛皮糖似的甩不掉。她骑着马走在斯巴达身侧。“你带它来这里干什么？”她问，“我听说它很凶残。”

“嗯，没有的事。”艾米几乎是咬牙切齿了，“它已经好了。”

艾什莉看着斯巴达哈哈大笑，“它的伤疤明显还没有好。”

“那又怎样？”艾米责问道。

“那么，你带它到赛场来是不会走太远的，对不对？”艾什莉问。

“我不打算带它参加形体赛，”艾米反驳道，“你知道在障碍赛类比赛中，伤疤无关紧要。”

“说得好像真有哪个裁判会选择一匹伤痕累累的马似的。”艾什莉说着摇了摇头，“你是在浪费时间和金钱，艾米——据我所知，赫特兰德马场这时候没有太多钱可供挥霍。”她脸上带着一丝嘲讽的微笑，慢慢跑开了。

“你就等着看它跳的时候吧，艾什莉。”艾米嘀咕道。她突然感到有股强烈的冲动要让斯巴达去参加一场比赛，以抹掉艾什莉那张完美无瑕的脸上的嘲笑。但一周前报名就结束了。“下次吧。”她目送艾什莉骑着她那匹枣红色的小马驹走进赛场。

艾米带斯巴达回到拖车。“我想继续，”她对泰说，“它看起来很好。”

他们给斯巴达套上马具。为了不弄脏米黄色的赛马马裤，艾米把自己身上的运动套装使劲往下拉了拉，她还穿上了长靴和深蓝色夹克，再次穿上赛服的感觉真好。

“慢慢来，”她上马时泰说，他帮她提着另一边的马镫，“你肯定也不想做得太过火。”

艾米点了点头。她拍着斯巴达，很肯定它感觉良好——斯巴达感到兴奋，但不狂热。她走进训练区，其他赛马和骑手都在热身。训练师在喊口号，一匹匹小马驹从她身旁飞驰而过。艾米深吸了一口气。如果斯巴达能过这一关，它就什么都能应付了。

刚开始它有点儿紧张，但过了几分钟，它一平静下来就开始听她的口令。艾米骑着它试着越过一个障碍，它甚至都没有犹豫。在跳过几个小障碍热过身后，艾米觉得是时候带它在训练场跑一整套障碍了。

泰看到她朝训练场入口处走去，赶紧走过去。“它看上去状态很好。你觉得它准备好了吗？”

艾米点了点头，心底越来越兴奋。这正是她一直等待的时刻。

在通往训练场的大门口，泰给管理员付了训练费。“这样的高度能行吗？”管理员问。

泰转向艾米。

艾米观望着复杂的程序。障碍刚过一米，比她最放心的高度要略高，但当她坐在斯巴达身上时，她感觉多高都不成问题。“没问题！”她说。

“祝你好运！”艾米骑进训练场时泰喊道。

艾米收短缰绳后拍了拍斯巴达的脖子。“就是这里了，小伙子，”她说，她发现栅栏边有几个观众在随意观看，她的兴致更高了。“让我们给大家露两手吧！”

斯巴达的耳朵竖起来了。她双腿一夹，马儿开始向前慢跑起来，动作流畅。艾米跑完一圈，转向了第一个障碍——一根很粗的柱子和栏杆。斯巴达迈着宽大、均匀的步子，动作完美。它轻松地跳过了那道障碍，耳朵向前竖起，接着朝第二道障碍跑去。

艾米和斯巴达保持稳定的节奏，跳过了一个又一个障碍。她简直不敢相信他们心灵默契到了如此程度。她骑着它朝最后一道障碍跑去——一个宽围栏障碍——就在训练场右边。

“格里？”她听到一个女孩的惊呼声从近台区传来。艾米感到斯巴达迟疑了一下，他们距离最后那道障碍只差三步之遥，冲劲太足，想躲开已经来不及了。艾米夹紧双腿，敦促它前进。“来吧，小伙子！”她小声说。斯巴达做出了回应。它提起一股巨大的力量从障碍上跃了过去。他们似乎在空中飞了一分钟才在另一端平安着陆。

观看的人群中爆发出雷鸣般的掌声。

“小伙子，好样儿的！”艾米喊道，她陶醉在喜悦中，忘记了刚才人群中的那声喊叫。她不停地拍打着斯巴达，一路小跑到大门口。“它是不是很棒？”她冲泰喊道。

“是最棒的！”泰回喊道。

“很漂亮的一轮，”管理员对艾米说，“你这匹马很有潜力，小姐。你一定能赢很多奖。”

艾米微笑着跳下斯巴达的后背，抱住它的脖子。“你太棒了！”她说。接着她拿起斯巴达的缰绳，和泰一起牵着它走开了。

“嗯……请问一下……”他们身后一个声音试探地问。

艾米回头一看。一个和她一般大小的女孩站在那里，一头波浪卷的黑发。她穿着赛服，双颊有点儿红。“那是格里……杰罗尼莫吗？”

“是的，”艾米困惑地答道，牵着斯巴达掉过头来，“至少它曾经是。你是谁？”

女孩还来不及回答，斯巴达就轻嘶了一声，头一甩，使劲儿往前拉着艾米。

“噢，格里，”女孩开心地低呼道，“我以为再也见不到你了。”

看到斯巴达蹭着女孩的手，艾米感到一阵嫉妒。她是谁？“呃……对不起，我还不知道你是谁呢。”她很不客

气地说。

女孩抬起头看着她，那双碧蓝的眼睛突然慌乱起来。“我是汉娜·鲍斯韦尔。拉里·鲍斯韦尔是我爷爷。格里一出生我就认识它了。你一走进训练场我就认出了它。”

艾米吃惊地睁大了双眼，“你是鲍斯韦尔先生的孙女？”

汉娜点了点头。“我和爷爷奶奶住在农场。你是艾米吧？”看到艾米点了点头，汉娜笑了，“爷爷跟我谈起过你，关于你的营救中心以及一直以来你是如何照看格里的。”

“你到这里来干什么？”艾米问，脑筋还因为突然遇见拉里·鲍斯韦尔的孙女转不过弯来。

“我本来是到这里参加比赛的，”汉娜说，“我报名参加了一个马术比赛。”

泰皱起了眉头。“我想我之前见过你，”他说，“你是不是有一匹灰色、夹带着深色斑点的小马驹？”

“是的，”汉娜说，“今天这里有一场大型比赛我们才来的，通常情况下，我们不会大老远跑到这里来。”

“你真的很棒，”泰说，“我在密多布鲁克看过你比赛。”

艾米看到汉娜冲泰甜甜地微笑，心中掠过一丝嫉妒。

“谢谢，”女孩说，“我只是很幸运有辛巴德。”她双眼放光，“任何骑手骑着它看起来都会英姿飒爽。”

听到汉娜·鲍斯韦尔夸赞自己的小马驹，艾米的嫉妒消失了，对她也热络起来。“你刚才说你本来报名参加了一个马术比赛，这话是什么意思？”她好奇地问。

“辛巴德腿瘸了，”汉娜说，“它肯定是撞到了障碍上。虽然不是很严重，但我不敢冒险再骑它参赛了。我只得取消比赛。在一场大型资格赛即将开始时发生这种事太意外了。”尽管她笑吟吟的，但艾米从她的眼中看得出她很失落。她环顾四周，“我得告诉奶奶你在这里。她一定想跟你打声招呼，行吗？”她问。

“好的，当然。”艾米说。

“我一分钟就回来。”汉娜保证道，边说边穿过训练场往前跑去。

“她看起来不错。”艾米说，转身面向泰。艾米从不参加马术赛，她更喜欢参加猎马类的，这种比赛的侧重点是马而不是骑手。但她知道汉娜肯定失望极了。

泰点了点头。“她是个真正有天赋的骑手，”他说，“真正的天赋。尽管她对她那匹小马驹赞不绝口，但它看样子不好骑。”

艾米若有所思地拍了拍斯巴达。她想起汉娜说她的小马驹脚跛了。

汉娜跑了回来。“我奶奶过来了！”她喘着粗气，黑发蓬乱。斯巴达拉着绳子朝她走去，亲昵地蹭着她。

“呃……”艾米深吸了一口气，一个念头突然从她脑海中冒了出来，“汉娜，你愿意骑斯巴达参赛吗？我是说格里，去参加马术赛？”

她看到泰猛地转身凝视着她。汉娜的双眼瞪大了。“骑格里？你甚至都不知道我会不会骑马。”汉娜说。

“好吧，泰看过你骑马，他说你表现得很好，”艾米说着瞟了泰一眼，“这对我来说就足够了。”

“嗯，我非常愿意！”汉娜喊道。她焦急地审视着艾米的脸，“你真的不介意？”

“真的，”艾米悠悠说道，看着斯巴达在汉娜掌心里吐纳，“是的，我不介意。”

汉娜面露微笑，接着突然越过艾米的肩膀朝某人招手，“奶奶！我在这里！”

鲍斯韦尔夫人一头灰色的短发，穿着牛仔服。她一看到斯巴达脸就亮了。“格里！”她喊道。

斯巴达轻嘶了一声。鲍斯韦尔夫人微笑着揉搓着它的脑袋。“嗯，嗨，小伙子。看到你状态这么好我真高兴。”她转向艾米和泰，伸出手微笑道：“你们好，我是雪莱·鲍斯韦尔。”

他们握了握手，彼此做了介绍。汉娜迅速地跟奶奶讲了她要骑斯巴达参加马术赛的主意。“我这就去拿帽子和马鞍，”她说，“接下来就是我参加的那个类别了。”

“我骑斯巴达去兜一圈，”艾米说，“替你热热身。”她翻身上马。

“我去拿把刷子，在你进场前给它刷刷。”泰说。艾米点了点头，骑着斯巴达走进了训练场。斯巴达绕着场子小跑，动作如行云流水般流畅，听艾米口令时耳朵竖起。

艾米让它慢跑，让它利索地跳过了八个障碍中的两个。“好小伙儿！”艾米小声说，抚摸着它的脖子。

看到汉娜拿着马鞍回来了，艾米让斯巴达放慢速度走到汉娜身边。

“我用自己的马鞍没关系吧？”汉娜说。

艾米点了点头，下了马。她深吸一口气，踩上马镫，解开腹带，把马鞍从斯巴达背上解了下来。

“你确定这没关系？”汉娜看着她问。

艾米吞了吞口水。“我确定。”

艾米抓住斯巴达的缰绳，让汉娜把自己的马鞍提到斯巴达的背上。汉娜给斯巴达系腹带时斯巴达蹭着她的手。艾米飞快地亲吻了一下斯巴达的鼻子。

“我真的很感谢，”汉娜说着往后站，“这是我参加州决赛的最后一次机会了。”

艾米的心波动了一下，把斯巴达的缰绳递给了汉娜。她们的眼睛相会了。

“祝你好运。”艾米小声说，但依然抓住缰绳不放。

“谢谢！”汉娜柔声说。

慢慢的，艾米松开了手。

汉娜绕场骑了一小会儿，带着斯巴达跳过几个障碍，然后朝泰和斯巴达走来。泰迅速帮斯巴达梳洗了一番。“你骑着它看起来很漂亮。”他说。

艾米点了点头。汉娜骑马的时候她一直在仔细观看，很快就看出泰说得没错。汉娜是名非常有天赋的骑手——她的手很轻柔，坐姿平衡完美。斯巴达看上去既放松又愉快。

“它还属于爷爷的时候我一直都喜欢骑它。”汉娜微笑道，“但我骑惯了辛巴德，现在骑它感觉很奇怪。”

“辛巴德有几手[1]？”艾米问。

---

①“手”是测量马的数量单位。

“十四点二，现在对我来说太小了点。爷爷说他会给我买匹新的，但我一直找不到自己真正喜欢的。”她微笑道，“我当然还会留着辛巴德。我绝不会卖掉它。”

雪莱·鲍斯韦尔走了过来。“汉娜！你得和播报员讲一声他们才知道你在这里。”

汉娜紧张地咧嘴笑了。“好的，我得走了。祝我好运吧！”

“噢，汉娜，”艾米说。汉娜回过头来。“如果它在障碍前有点犹豫不决，你只要轻轻夹腿它就没事了。它有时候需要人鼓励一下。”

汉娜点了点头。“谢谢！”她说。

泰和艾米走到近台区观看。“瞧，那是艾什莉！”艾米说，当艾什莉骑着马慢慢跑进训练场时她用胳膊肘轻轻推了一下泰。她这次又换了一匹马——一匹漂亮的灰马，身后的尾巴像瀑布一样流泻下来。艾什莉命令她的小马驹慢跑，利索地朝第一个障碍跑去。

艾米仔细观看。她和艾什莉的较量一般是在小马驹猎手级别赛里。而马术赛不同。这种比赛关注的是骑手的仪态和能力，艾米不得不承认——艾什莉的表现很抢眼。她的姿态无可挑剔，笑容从未离开过她的脸庞。“她好像没出一丁点儿差错！”她大声说。

“我可不这么认为，”泰持反对意见，“她的肩膀有点儿僵硬。”

第二跳艾什莉的马起跳得太迟了。

“她那里会失分。”泰评论道。

“扣不了多少。”艾米说。

“你知道的，她没有和马真正联合。”泰说。“我是说，从技术上讲，她骑得很好，但她和马之间没有感情。裁判不只看技巧，也会看这方面的。”

艾什莉转了一圈，完成了整套动作，骑着马退场了。

“接下来是不是汉娜？”艾米问。

还有另一位参赛选手，是一个骑着一匹栗色小马驹的男孩。

雪莱·鲍斯韦尔走过来加入了他们。“你们能让汉娜骑格里参赛真是太好心了。”她对艾米说。

“没关系。”艾米说。

“拉里把他去拜访你们时发生的一切都告诉我了。你一定认为他对自己的马很无情。”雪莱·鲍斯韦尔说。

艾米不知道说什么好。“嗯……呃……”

“没关系，宝贝儿，”雪莱·鲍斯韦尔微笑道，“我能想象得出他当时的样子。拉里不是个残忍的男人，但也许你会对他产生这种印象。他劳碌了一辈子，白手起家创建了现在这份产业，一直遵守着每一匹马都要物有所值的规矩。这就是他的成功之道。我想放弃格里一定让他伤透了心，他很想它。我们都很想它。”

“汉娜出场了！”泰喊道，那匹栗色小马驹离开了训练场，汉娜骑着斯巴达慢跑了进去。

斯巴达的耳朵竖起来了。它看到障碍时往上甩了一会儿头，但接着就听从了汉娜的命令，低下了头。他们动作麻利地开始慢跑，转向了第一个障碍。

艾米屏住了呼吸。斯巴达大幅度轻松地越过了障碍。

“它跳得很高，对不对？” 雪莱·鲍斯韦尔说。

艾米点了点头。她对汉娜的骑术满心羡慕。斯巴达跳得很高，坐在像它这样的马儿的背上，要保持完美的姿势绝非易事，但汉娜做到了。她后背笔挺，头高高抬起，脚后跟向下。“汉娜骑着它，看起来真不错。”艾米说。

雪莱·鲍斯韦尔点了点头。“汉娜喜欢障碍赛，一直都喜欢。她要找一匹马来参加下一次的障碍赛分赛。”

艾米点了点头，全神贯注地盯着跑道。汉娜和斯巴达现在完成了一半。他们绕着跑道最远端慢跑，勾勒出一幅完美的画面。他们之间亲密无间，凸显出一种特殊的品质——他们似乎理解彼此。艾米突然感到泪水模糊了双眼。她扫了泰一眼。她很高兴自己相信了他的看法，决定让汉娜骑斯巴达参赛。她从他的神情中看出他也有同样的感受。

“斯巴达看上去很高兴，对不对？”他柔声问。

艾米点了点头。

泰拍了拍她的肩膀。“谢谢你相信我，我是说汉娜的骑术。”

“我一直都相信你。”艾米说，自己都被这脱口而出的话吓了一跳。

“还剩下最后一道障碍了！”她听到雪莱·鲍斯韦尔说。

艾米一惊，把目光转回到训练场。斯巴达完美地跳过了最后一道障碍，观众爆发出雷鸣般的掌声。汉娜骑着斯巴达转了一圈，从出口走了出来，手不停地拍着它，好像想永远这么骑下去，不想让它放慢速度。

艾米、泰和雪莱·鲍斯韦尔匆匆走到跑道去迎接她。“太不可思议了！”艾米说。

“做得好！”泰冲汉娜笑道。

“它太完美了！”她说着跳下了马，“艾米，谢谢你的建议——当它有些紧张的时候我轻轻地夹了夹它，它就没事了。”汉娜转向斯巴达，揉了揉它的脸，“你真棒！”

艾米笑了。在这一刻，一切都是那么美好。这时她看到艾什莉和瓦尔·格兰特从他们身边经过，她们紧绷着脸。很显然，她们一直在观看。“我想艾什莉不会再轻易瞧不起斯巴达了。”艾米开心地笑道。她抚摸着这匹马的鼻子，而马则蹭着她的手。

等待结果的过程很紧张，扬声器终于“咔嚓”一声响了。“现在宣布14岁至17岁障碍骑术赛的结果。”一个声音播报道。

汉娜紧张地看着艾米。“你知道我不在乎名次。这一轮完成得这么棒，我已经很满足了。”

播音员继续报道，艾米看着汉娜。

“第一名，365号——骑‘在草地上跳舞的杰罗尼莫’的汉娜·鲍斯韦尔。”

“你做到了，汉娜！”艾米喊道，“你成功晋级州决赛了。”

“噢，天哪！”汉娜惊呼道。她抱紧了自己的奶奶。“奶奶！格里赢了！”汉娜猛地跨上了斯巴达。鲍斯韦尔夫人擦了擦她的马靴。艾米匆匆走过去检查斯巴达的腹带。

“去吧，你该入场了！”看到马戏演出指挥正在等待，泰催促道。

汉娜咧嘴笑了，得意洋洋地骑着马走进了训练场。

很快奖就颁完了。艾什莉第二名，她看上去气鼓鼓的，接过红绶带时甚至都没有点头致谢。

最后是优胜者汉娜绕场一周。当斯巴达从他们身边慢跑过去时，泰把手搭在了艾米的肩上。

“你知道吗？你这件事做得太好了！”他轻声说。

他们的眼神交会了。“谢谢！”她微笑道。

“太感谢你让我骑格里了，我是说斯巴达。”稍后，当汉娜和艾米把斯巴达牵回到赫特兰德马场的拖车上时，汉娜再次说，“它真的太棒了，你自己会带它去参加数不清的比赛，对不对？”

艾米的心略微往下一沉。“嗯，这要看我们什么时候能给它找到新家。”

“你不能留着它吗？”汉娜问，声音听上去很吃惊。

艾米摇了摇头，“在赫特兰德马场，凡是治愈的马，我们都要给它们找新家，这是我们的规矩。”

汉娜难过地看着这匹马，“可怜的格里。它和你在一起时看起来很开心。”

“它原本可以更开心的。”艾米叹了口气。她决定向汉娜透露。“我觉得它的心有一部分锁住了，”她说，“我看到它真正开心的时候是你爷爷过来的那次，然后就是这次和你在一起。”

“要是爷爷能把它接回来，要是我能拥有它该多好！”汉娜看起来很烦恼，“但这不公平。”她说。

艾米凝视着她，一个念头突然跳进了她的脑海。“嗯，你为什么不能？你说过你正在找一匹马。你想要一匹会跳障碍赛的马，斯巴达对你来说是完美的选择！”

汉娜看起来很吃惊，“我拥有格里……爷爷绝不会同意的。只要有人提起格里，他就会大发脾气。”

艾米的一线希望破灭了。“噢。”她叹息道。

“也许能行得通！”汉娜说，她看上去像绞尽了脑汁，“我不能跟爷爷说我想要格里，他肯定不会同意。但如果我给他打电话说我在赛场上找到了一匹出色的跳马，我想买下来……如果我直接带着它出现在他面前……”

艾米瞪着她，“你爷爷会怎么说？他不会发怒吗？”

汉娜摇了摇头。“我认为不会。尽管他嘴硬，但他真的很想念格里，我确信他不会忍心把格里赶走的。”她抓住艾米的胳膊，眼睛兴奋得发光。“艾米！这真的能行！让我问问我奶奶，看她怎么说。”

汉娜只花了几分钟就说服了奶奶，她认为这是个不错的计划。艾米用手机给卢打电话，把这个好消息告诉了她。

“它现在就要去吗？”卢吃惊地说。

“是啊，”艾米说。“鲍斯韦尔的拖车不够大，但泰说会开我们自己的拖车送斯巴达和我过去。”

“今天好像是泰的休息日！”卢说，“听我说，叫他把拖车开回来，我开车送你和斯巴达去鲍斯韦尔家。”

“好的。”艾米说着挂掉手机，告诉了泰。

很快就安排好了。汉娜和雪莱·鲍斯韦尔可以先带辛巴德回去，通知拉里·鲍斯韦尔有匹新马会到。

“我去把它的旧马厩准备好。”汉娜说，最后拍了拍斯巴达，跟着奶奶出发了。“你弄清楚怎么走了吗？”

艾米点了点头。

汉娜冲她咧嘴一笑，“那几个小时后见。”

泰开车把艾米和斯巴达送回到赫特兰德马场。“嗯，我想我这就要和你说再见了，伙计。”他说着走进拖车里，这会儿卢在收拾东西。他拍了拍斯巴达，“祝你开心！”

“它会的。”艾米柔声说，看着斯巴达英俊的枣红色脑袋。她知道她所做的是对的。

卢从房子里走出来，“准备好了吗？”

艾米点了点头。“明天见，泰，谢谢你为我们所做的一切。”

“别客气。”泰微笑道，转身大踏步往院子里走去。艾米迅速地坐进了小汽车里。

卢打开车门，跳了进去，坐在她身旁。“好吧，我们出发！”

当拖车在车道上颠簸时，艾米听到斯巴达细碎的嘶鸣声。此情此景突然勾起了那段可怕的回忆，斯巴达站在拖车后面，坐在她旁边的是妈妈而不是卢。艾米和妈妈千方百计想救斯巴达，而现在，她瞥了姐姐一眼——现在她和卢正想方设法让它过上幸福的日子。

她一边回忆过去三个月发生的事，一边艰难地吞咽着口水。她失去了那么多，但现在看着卢，她想起了昨天晚上姐姐下的决定，她突然意识到，她也收获了许多。

拉里·鲍斯韦尔的种马场坐落在弗吉尼亚山脉南部绵延的乡村深处。她们的车经过一个又一个农场，艾米望着窗外。最后她们终于到达了“舞动的牧草种马场”。深色木栅栏将围场和马路隔开。一个沉重的木标识在微风中摇晃。

“看来就是这里了。”卢说。

当她们朝车道开去时艾米感到一丝担忧。如果汉娜猜错了怎么办呢？如果拉里 · 鲍斯韦尔不接受斯巴达，她们只得再把它带回去怎么办呢？

卢把车停在了农舍的前门，她们下了车，四下打量。没有人出来迎接她们。“我去敲门。”卢说。前门无人应答，于是她们转到了后门。

艾米走过去检查斯巴达。它一看到艾米就轻轻嘶鸣了一声。艾米慢慢朝它走去。它乌黑的眼睛平静地望着她。她心想：不知道斯巴达将来会怎样？不知道拉里 · 鲍斯韦尔会怎么决定？

就在这时，她听到说话的声音从拖车后面传来。“这是赫特兰德马场的拖车！”她听到拉里 · 鲍斯韦尔说。他的语气变得愤怒起来。“她们上这儿来干什么？”

艾米身子一僵，这时她听到汉娜说，“她们是来送马的，我在赛场上骑的那匹马。爷爷，我告诉过您我想要的那匹马。”

她突然听到卢的声音。“嗨，”艾米的姐姐喊道，从房子那头走过来。“我们好不容易找到了这里。你好，鲍斯韦尔先生！”

“嗨。”艾米听到拉里·鲍斯韦尔没好气地回应了一声。

“您做好看它的准备了吗？爷爷？”汉娜急切地问。

“艾米在里面陪它。”卢说。

汉娜突然出现在侧门。“艾米，嗨！你准备好把它牵出来了吗？”她肯定看到了艾米的脸，所以笑了。“别担心，”她小声说，“没事的，相信我。”

她转瞬不见了，艾米只听见斜板上的锁开了。她把一只手搭在斯巴达枣红色的脖子上，感受着它如绸缎般顺滑的肌肤散发出的暖意。真的到了最后离别的时刻了吗？她想。在他们经历了许多风风雨雨之后，她有点不敢相信。

“斯巴达，你回到‘舞动的牧草种马场’了，”艾米说，“自从你离开这里后，我们一同经历了许多。”艾米把脸颊贴在它优雅的脑袋上，“我会想你的，小伙子，但我知道你属于这里。”

艾米听到斜板被放下了，她稳稳地把斯巴达牵了出来。

拉里·鲍斯韦尔难以置信地瞪着斯巴达。他还没来得及开口，斯巴达就轻嘶了一声，朝他的方向跑来。艾米松开了缰绳，往后站。马朝着它亲爱的主人跑去，把鼻口抬到拉里·鲍斯韦尔的脸上，喷着鼻息，把头埋在主人的肩上。

“格里！”拉里·鲍斯韦尔喊道，伸出手抚摸着马的脖子。斯巴达顶着他的胸膛，在他身上蹭着，它鼻翼鼓胀，贪婪地吮吸着主人的气息。“噢，格里！”拉里·鲍斯韦尔喃喃道。

“爷爷，我就是骑着格里在比赛中获胜的。”汉娜轻声说，“您不会相信的。它在训练场上太神奇了，它就是我想要的马。”她朝爷爷走去，抓住他的手，“请答应我，让我留着它。求您了，让格里留下来吧！”

艾米看到拉里·鲍斯韦尔犹豫不决，不由得屏住了呼吸。突然，一行清泪从他脸上滚落下来。“好，”他说，飞快地擦掉了眼泪，看着汉娜，“我们留下它。”

很快斯巴达就开心地被安顿回了它以前的马厩里，就像过去几个月遭受的巨大创伤从来没有发生过。

“我们该走了。”卢对雪莱·鲍斯韦尔说，“我真高兴，最后，一切都这么顺利地解决了。”

“我也是，亲爱的。”雪莱·鲍斯韦尔微笑道。

艾米跟汉娜道完别后朝斯巴达的马厩走去，它正在马厩里往外张望。它把头转向艾米，竖起耳朵，如丝般的额毛颤巍巍地从那张英俊的脸上垂下来。它眼神中闪耀着明显的爱意。艾米感到喉咙哽住了。斯巴达的心结终于解开了。

她把一只手搭在斯巴达的脖子上。“我向你承诺过会让你幸福的，斯巴达。”她小声说。斯巴达蹭着她的头发，“我信守了承诺。”她哽咽着，闭紧了双眼，亲吻着

它的脸，她知道这将是最后一次。

她痛苦地吞了吞口水，转身朝小汽车走去，卢正在那里等她。

“我会给你写信的！”汉娜喊道，“还会给你寄照片。”

当艾米打开车门坐上去时，她看到拉里·鲍斯韦尔朝斯巴达的马厩走去。斯巴达轻声嘶鸣。艾米看到拉里·鲍斯韦尔的脸拧巴起来，皱成了一朵花，他满脸都是笑意。

卢突然拍了拍她的肩膀。“你做对了，艾米，”她说，“人人都需要一个家，你知道赫特兰德马场从来都不是斯巴达真正的家。”

艾米看着姐姐，“但现在它是你的家，对不对，卢？”

“是的，”她回答道，“是的。”她的眼神对上了艾米的，发动了引擎。“来吧！”她柔声说，“让我们回家！”

精彩抢先读

《马背上的女孩》之三
《赫特兰德马场的重生》

晚上，喂完马，打扫完院子后，艾米沿着车道走到珀加索斯安睡的原野。空气宁和静谧。她靠在大木门上往外望着草地上长长的暗影。

泰、苏拉娅、马特和斯科特已经回家去了，玛尔尼在卧室里，正在打包行李，准备明天回城。艾米知道自己会想念她的，毕竟，是玛尔尼让她意识到要用自己的方式和理由来经营赫特兰德马场，但她也要和卢像一个团队一样合作。

一股凉风轻柔地拂过艾米的肌肤。在经历了开放日的喧嚣之后，一切都变得无比宁静，她们获得了巨大的成功，至少暂时，赫特兰德马场的经济困难解决了，有本·斯蒂尔曼做额外的马厩伙计，她将会有更多时间和马待在一起。说不定我还能去参加一些跳马比赛，艾米心想。

她注视着那棵纤细幼小的橡树，心扭作一团。她的生活中只失去了一样东西——那就是珀加索斯。

“你为什么要离开？”她痛苦地喃喃道。

但她问这个问题时，其实早已知道答案。人生要向前看，没有什么是永恒的。

天色渐淡，那棵树被暮色笼罩着，最后一只孤独的鸟儿唱起了夜曲。

“艾米？”

她扭头一看。外公和卢正踏着十月的黄昏朝她走来。

“我们从厨房窗户看到你了。”卢说。

“你不介意我们加入你吧？”外公静声问。

艾米摇了摇头。

有一会儿，他们三个人都站在大门边，沉默不语。“今天是个好日子。”卢最终说。

艾米微笑道。“谢谢你，卢。这是你的主意。”

外公将两只手搭在姐妹二人的肩上。“我为你们俩感到骄傲，”他的声音饱含深情，“你们的妈妈也会为你们感到自豪的。你们让赫特兰德马场变成了你们自己的。”他拍了拍她们的肩膀，“你们找到了一种立足过去、走向未来的方式。”

“是作为一个团队。”艾米说着朝卢望去。

卢冲她回笑，“是的，是一个团队。”

艾米朝那棵橡树望去。外公说得对。人生要向前看，而不是抱着过去不放。她凝视着那棵树，嘴唇轻轻嚅动，“再见了，珀加索斯。”

尽管夜色深浓，那只鸟儿仍在兀自歌唱。